INSIGHT GUIDES
LONDRES
a Pé

Tradução:
Vitoria Davies

martins fontes
selo martins

cation Westbourne

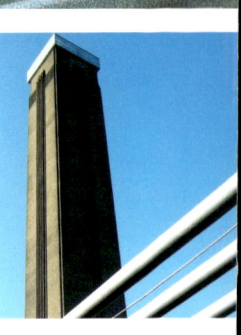

SUMÁRIO

Introdução
Sobre este livro	4
Itinerários indicados	6

Orientação
Panorama da cidade	10
Onde comer	14
Compras	18
História: datas-chave	20

Itinerários
1. As principais atrações turísticas — 24
2. Os museus nacionais — 31
3. Covent Garden e Soho — 34
4. Piccadilly e Mayfair — 40
5. Marylebone — 44
6. Regent's Park — 46
7. Bloomsbury — 48
8. Holborn e os Inns of Court — 52
9. City of London — 55
10. South Bank — 60
11. Tate Modern e Tate Britain — 68
12. Hyde Park — 72
13. South Kensington e Knightsbridge — 76
14. Chelsea — 81
15. Passeio no tradicional ônibus de dois andares — 84
16. Hampstead — 86
17. Notting Hill — 88
18. East End — 90
19. Greenwich — 94
20. Kew — 98

Informações
A-Z	102
Hospedagem	112
Onde comer	118

Créditos e índice
Créditos	124
Índice remissivo	125

SOBRE ESTE LIVRO

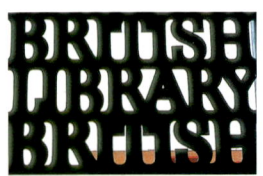

O guia *Londres a pé* foi produzido pelos editores da Insight Guides que, desde 1970, estabeleceram um padrão visual para guias de viagens. Com excelentes fotos e recomendações confiáveis, você tem o que há de melhor em Londres, em vinte itinerários que podem ser feitos a pé.

ITINERÁRIOS

Os itinerários propostos procuram atender a todos os bolsos e gostos, qualquer que seja a duração da viagem. Além de cobrir as várias atrações turísticas de Londres, este guia sugere também inúmeros percursos menos conhecidos e áreas emergentes, bem como excursões para quem deseja estender a visita até os arredores da capital.

Os itinerários abrangem interesses diversos; assim, quer você seja apaixonado por arte, por arquitetura ou pela boa mesa, quer seja amante da flora e da fauna, ou monarquista, ou esteja viajando com seus filhos, sempre encontrará uma opção que lhe convenha.

Recomendamos ler todo o itinerário escolhido antes de partir, para planejar o trajeto e escolher onde fazer uma parada para comer e tomar algo – as opções encontram-se nos quadros "Onde comer", identificadas com o símbolo da faca e do garfo, em várias páginas.

Para as excursões temáticas, consulte "Itinerários indicados" (*ver p. 6-7*).

ORIENTAÇÃO

Os itinerários apresentados nesta seção dão uma visão geral da cidade, além de informações sobre alimentação e compras. Uma sucinta cronologia histórica indica os principais fatos que ocorreram em Londres ao longo dos séculos.

INFORMAÇÕES

Para facilitar os itinerários, há uma seção de informações úteis de A a Z, práticas e claras, a fim de ajudar na escolha da hospedagem e de restaurantes; tais sugestões complementam os endereços dos cafés, bares e restaurantes mais em conta sugeridos nos itinerários.

De cima para baixo: placa da Whitehall street; comerciantes cosmopolitas no Borough Market; London Review Bookshop, perto do British Museum; o imponente portão da British Library; dando um tempo no Regent's Park.

O autor

Escritor especialista em artes e viagens, Michael Macaroon reside em Londres e costuma comparar a cidade ao marmite, iguaria tipicamente inglesa: concentrado e inimitável, uma vez que se passa a apreciar seu gosto, quer-se sempre mais. Seus restaurantes prediletos em Londres são o Beigel Bake, em Brick Lane, e o L'Artiste Musclé, em Shepherd Market; seu *pub* preferido atualmente é o Mitre, bar histórico localizado numa rua transversal à Hatton Garden. Macaroon é também o autor de *Smart Guide Paris* e do *Paris a pé*, publicados pela Insight Guides.

Dicas nas margens
Dicas de compras, peculiaridades, fatos históricos e dados curiosos ajudam os visitantes a curtir Londres ao máximo.

Quadros em destaque
Dados culturais relevantes são destacados nestes quadros especiais.

Dados importantes
Este quadro dá detalhes da distância a percorrer em cada itinerário e uma estimativa do tempo de duração. Mostra também onde começa e termina o percurso, dá informações indispensáveis, como as épocas mais adequadas para o passeio e as melhores opções de transporte.

Mapa do itinerário
Cartografia pormenorizada com indicação clara do trajeto por seqüência numérica. Para o mapa geral, consulte o encarte que acompanha este guia.

Rodapés
O rodapé das páginas do lado esquerdo traz o nome do itinerário e, quando relevante, uma referência do mapa; o das páginas do lado direito indica a principal atração das duas páginas.

Onde comer
As indicações encontram-se nestes quadros. Os números que antecedem o nome de cada café, bar ou restaurante remetem a referências do texto principal. Os lugares recomendados também estão assinalados nos mapas.

O símbolo da libra (£) que aparece em cada entrada dá o custo aproximado de uma refeição com direito a meia garrafa de vinho da casa. A tabela de preços, que também aparece na segunda orelha deste guia para facilitar a consulta, é a seguinte:

££££ 40 libras ou mais
£££ 25-40 libras
££ 15-25 libras
£ até 15 libras

SOBRE ESTE LIVRO **5**

ARQUITETURA

"As principais atrações turísticas" (itinerário 1) cobre a arquitetura das residências da realeza e dos prédios governamentais, "City of London" (itinerário 9) contrasta as igrejas de Christopher Wren com os melhores exemplos de arquitetura moderna, e "Greenwich" (itinerário 19) oferece exemplos da elegante arquitetura Queen Anne e georgiana.

ITINERÁRIOS INDICADOS

APRECIADORES DA ARTE

Há algo para todos os gostos, das excelentes National Gallery (itinerário 2) e Tate Modern (itinerário 11) ao melhor da arte britânica na National Portrait Gallery (itinerário 2) e Tate Britain (itinerário 11), das sofisticadas galerias de arte em Mayfair (itinerário 4) à arte contemporânea em Hoxton (itinerário 18).

CONHECER A LONDRES BADALADA

Os lugares mais badalados são os bares e clubes do Soho (itinerário 3), o mercado de Portobello Road (itinerário 17) e o East End (itinerário 18), a área da moda. Para ver arte britânica, visite a Tate Britain (itinerário 11).

FAMÍLIAS COM CRIANÇAS

Há muitas atrações para as crianças e aqueles que são eternas crianças: o zôo (itinerário 6); os dinossauros, no Museu de História Natural (itinerário 13); as atividades do Museu de Ciências (itinerário 13); e um passeio no tradicional ônibus londrino de dois andares (itinerário 15).

APRECIADORES DE FLORA

Londres possui mais áreas verdes do que qualquer outra metrópole e várias opções para se apreciar a flora local. O Regent's Park tem belíssimos jardins de rosas (itinerário 6), Kew é famoso por seus jardins reais (itinerário 20), e digno de nota também é o Chelsea's Physic Garden (itinerário 14).

AMANTES DA BOA MESA

No West End, muitos restaurantes, de Chinatown, no Soho, a Covent Garden, para jantares pré-teatro a preços razoáveis (itinerário 3). Para produtos orgânicos, Borough Market, à esquerda do rio Tâmisa (itinerário 10), para cozinha étnica, siga até o East End (itinerário 18).

LITERATOS

"Quem está cansado de Londres, está cansado da vida", escreveu dr. Johnson. Vá para Holborn (itinerário 8) e Bloomsbury (itinerário 7) para seguir o rastro de dr. Johnson, bem como o de Charles Dickens e Virginia Woolf; se você tiver uma veia poética, deve visitar Hampstead (itinerário 16) e a casa de Keats.

DIAS CHUVOSOS

Sente-se na parte externa das instituições maiores, como os Museus Nacionais (itinerário 2), o Museu Britânico (itinerário 7), as galerias Tate (itinerário 11) ou os museus em South Kensington (itinerário 13). Ou, então, faça um passeio no tradicional ônibus de dois andares (itinerário 15), passando pela Catedral de São Paulo e por outros locais importantes da City.

FÃS DA REALEZA

Visite as atrações turísticas de Londres, como o Palácio de Buckingham e a Clarence House, e assista à troca da guarda (itinerário 1). O Palácio de Kensington e os memoriais de Albert e da princesa Diana ficam no Hyde Park (itinerário 12).

COMPRAS

Para gastar, Oxford Street (itinerário 4); para comprar o que está na moda, Covent Garden (itinerário 3); para artigos exclusivos, Mayfair (itinerário 4); para roupas refinadas, Chelsea (itinerário 14); e, para artigos alternativos, Notting Hill (itinerário 17).

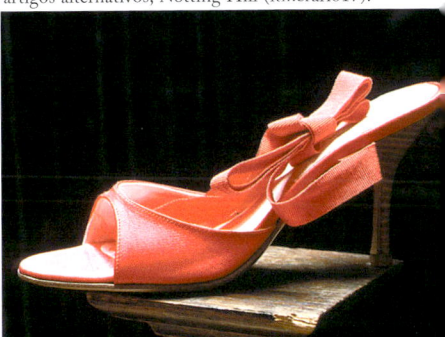

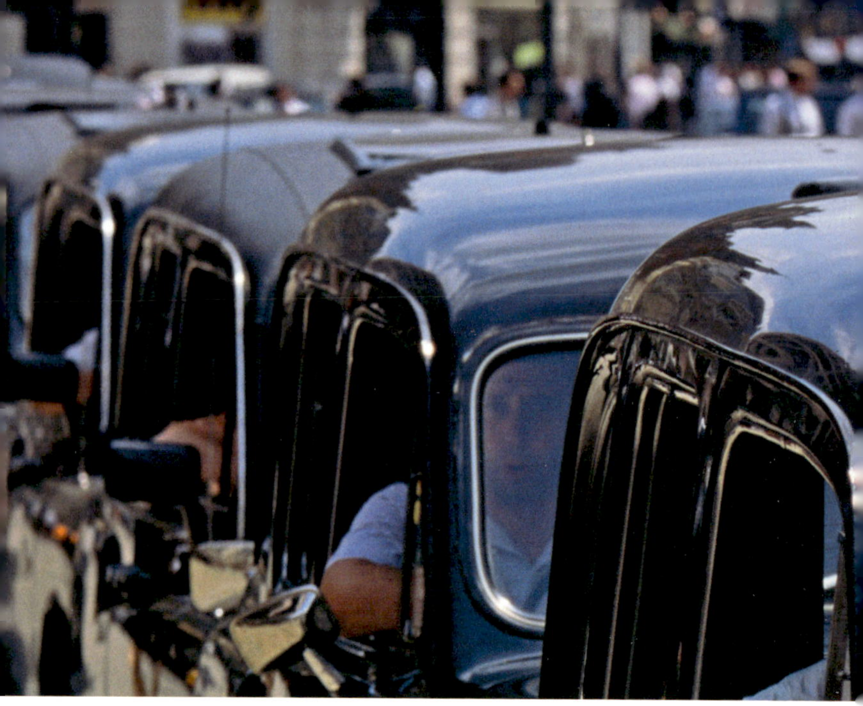

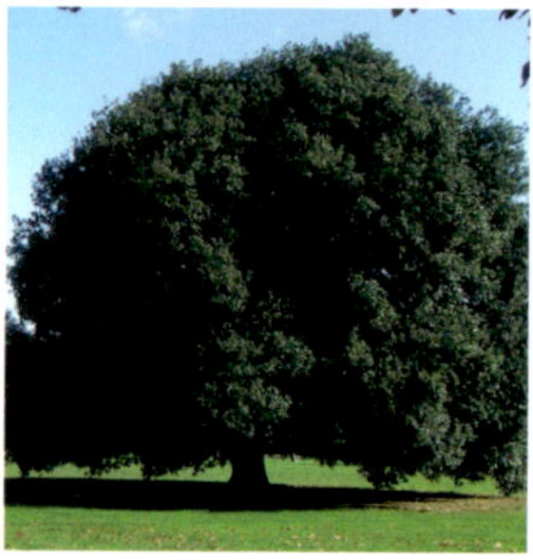

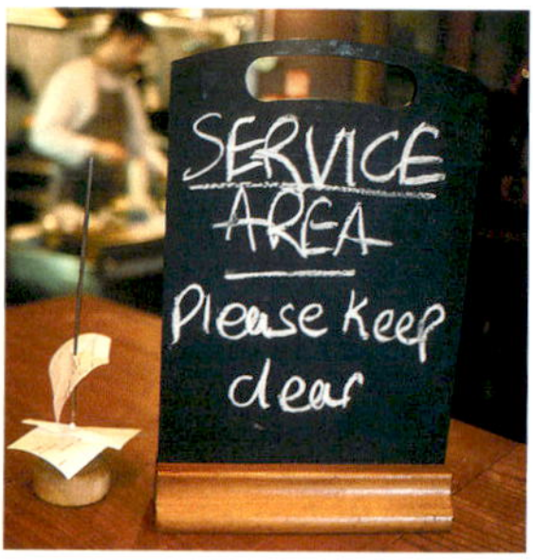
SERVICE
AREA
Please keep
clear

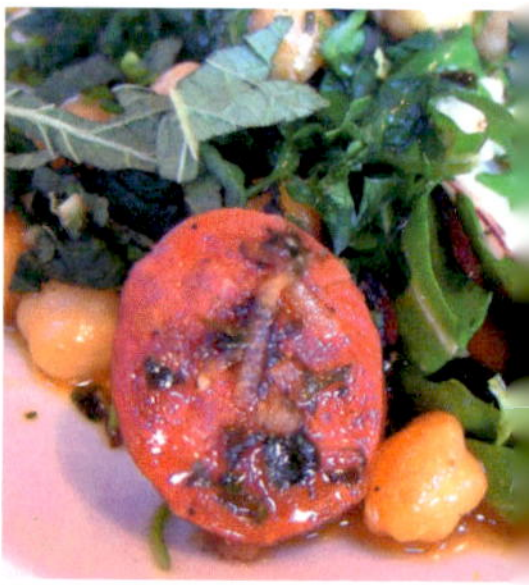

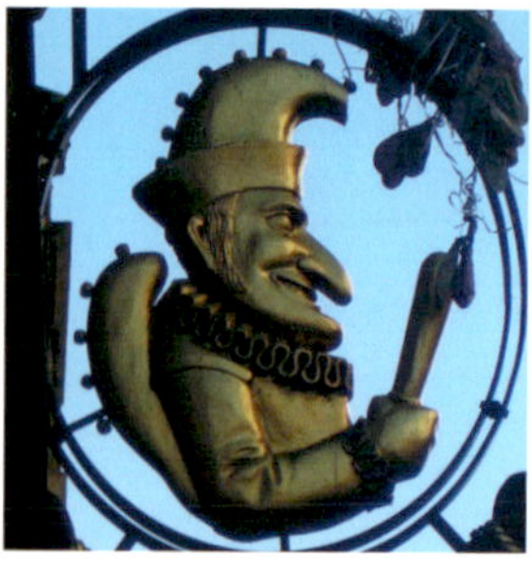

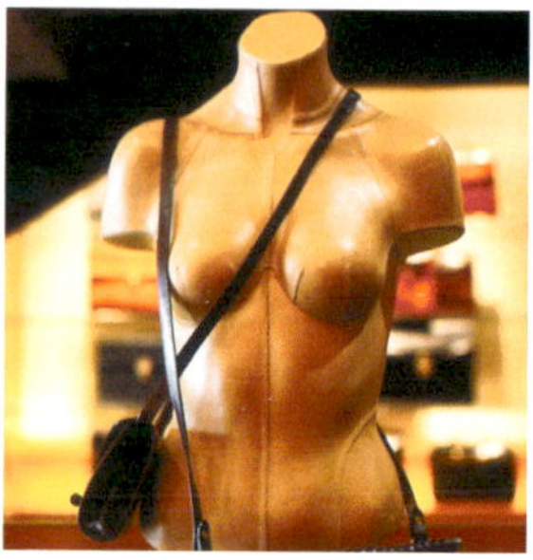

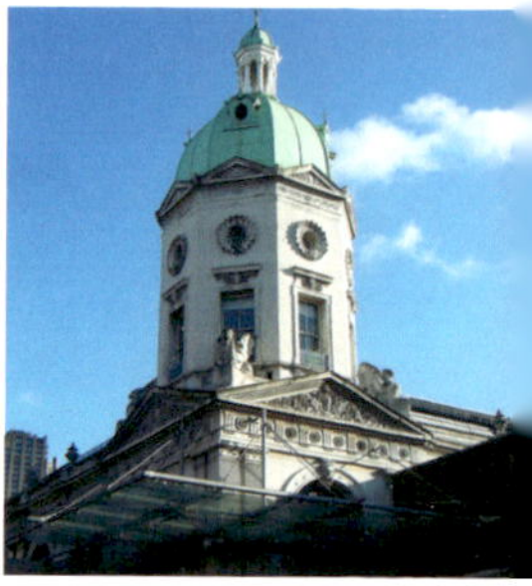

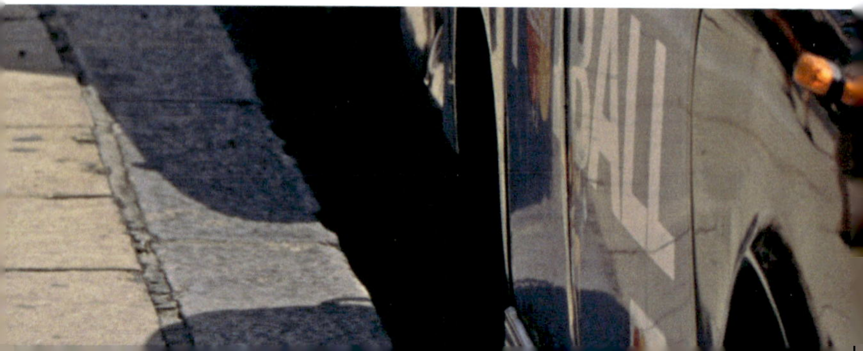

ORIENTAÇÃO

Visão geral da geografia, dos costumes e da cultura de Londres, além de informações esclarecedoras sobre comidas e bebidas, compras e fatos históricos.

PANORAMA DA CIDADE	10
ONDE COMER	14
COMPRAS	18
HISTÓRIA: DATAS-CHAVE	20

PANORAMA DA CIDADE

Incêndios, pestes, explosões populacionais, bombardeios aéreos, recessões econômicas, problemas urbanos, terrorismo... Londres já passou por tudo o que a História poderia lhe infligir, o que fez com que se tornasse uma das cidades mais complexas e fascinantes do mundo.

Língua Materna
Um estudo recente descobriu que mais de 300 idiomas (desde akan a zulu) são falados pelos escolares londrinos. Depois do inglês, as línguas mais faladas são: bengali, sylheti, panjabi, gujarati, hindi e urdu.

Abaixo: o parlamento e Whitehall.

Londres deve ter algo de muito especial para atrair mais de 27 milhões de turistas por ano. E certamente não é pelo seu clima. Há palácios e catedrais, teatros e museus, parques e jardins maravilhosos, restaurantes que oferecem a culinária de todas as partes do mundo, uma vida noturna próspera e uma grande abertura para a diversidade no que quer que seja, especialmente em seus habitantes.

POPULAÇÃO

Crescimento populacional
A população atual de Londres é acima de 7,5 milhões de pessoas, e prevê-se que, até 2016, terá aumentado para mais de 8 milhões. Londres é geralmente considerada uma das cidades mais populosas da União Européia (UE), bem como uma de suas regiões mais cosmopolitas. Obviamente, há controvérsias sobre até onde se estendem os limites da cidade, mas normalmente considera-se que Londres seja formada pelos 32 bairros da chamada "Greater London".

A população londrina cresceu de 1,1 milhão, em 1801, para mais de 8,6 milhões, em 1939. Mais tarde, em 1988, caiu para 6,7 milhões, tendo depois aumentado mais uma vez para o nível de hoje, que se iguala ao de 1970 (que é também o nível da década de 1920). Entretanto, a área metropolitana de Londres continua a se estender e hoje compreende entre 12 e 14 milhões de habitantes, dependendo de como se define tal área.

Etnicidade
Um em cada três residentes pertence a um grupo de minoria étnica. As cifras do Office for National Statistics (órgão nacional de estatística) mostram que desde 2006 a população estrangeira de Londres se mantém em 2,3 milhões

(31%), tendo aumentado desde 1997, quando era de 1,6 milhões. Desse total, cerca de 39% das pessoas são do subcontinente indiano e aproximadamente 35% são africanos ou afro-caribenhos. Além disso, houve recentemente um influxo de milhares de trabalhadores dos novos países-membros da UE, em especial da Polônia.

Há séculos Londres é um foco de imigração, seja como refúgio (os huguenotes, ao fugir da França católica, ou os judeus da Europa oriental, ao escapar do nazismo) ou por razões econômicas (como os irlandeses, os bangladeshes e o povo das Índias Ocidentais).

Distribuição de riqueza

Londres é uma das cidades mais caras do mundo, ao lado de Tóquio e Moscou. Num extremo do espectro, Londres é a quarta cidade do mundo em número de residentes bilionários. Além disso, a City of London – o centro financeiro da cidade – é conhecida por conferir bônus altíssimos a seus funcionários mais talentosos.

No outro extremo do espectro, há mendigos dormindo ao relento, na porta de lojas, bem como imigrantes recém-chegados vivendo em hotéis de terceira categoria. No passado, o East End abrigou inúmeros imigrantes pobres. Muitos deles se mudaram para outras áreas de Londres, à medida que foram prosperando. Hoje, na capital, a percentagem de indianos e paquistaneses proprietários de casas, por exemplo, é maior do que a de ingleses.

Acima, a partir da extrema esquerda: a ponte Millennium e a Catedral de São Paulo; guarda durante a troca da guarda no Palácio de Buckingham; roda-gigante (London Eye); táxi à noite.

Esporte em Londres
Londres sediará as Olimpíadas de 2012, e muitos dos jogos serão realizados em Stratford, na região leste de Londres, área que, por isso, está sendo amplamente revitalizada. Se a sua visita não coincidir com as Olimpíadas, há muitos outros eventos esportivos que você poderá assistir: jogos de futebol no Arsenal e em Chelsea; críquete no Lord's e no Oval; tênis em Wimbledon; corridas de cavalo em Ascot, que requer uma curta viagem de trem; rúgbi em Twickenham; boxing no York Hall, em Bethnal Green; e corrida de cachorro em Walthamstow.

Os táxis londrinos

Cerca de 20 mil taxistas trabalham em Londres, metade dos quais é dono de seus veículos. O restante aluga táxis de grandes frotas ou trabalha à noite em carro emprestado. Os que desejam ser taxistas têm de se registrar no Public Carriage Office e passar quatro anos aprendendo minuciosamente as ruas de Londres – aprendizado este conhecido como "the knowledge" (o conhecimento) e adquirido percorrendo-se as ruas da metrópole numa lambreta, quaisquer que sejam as condições climáticas, tentando aprender um enorme número de trajetos expostos numa prancheta montada no guidom. Portanto, mesmo que os choferes de táxi mais conversadores possam parecer estar discorrendo sobre coisas que não entendem, eles certamente sabem onde estão indo. O táxi clássico – o Hackney Carriage, como é oficialmente chamado – é o FX4, lançado em 1959, que continua sendo muito popular, agora numa versão atualizada (que inclui acesso para cadeira de roda). Tradicionalmente, chama-se um táxi erguendo-se o guarda-chuva fechado e gritando "Táxi!". Mas nem sempre o táxi pára: o príncipe Philip e o comediante Stephen Fry possuem cada um seu próprio táxi preto, para poderem se locomover pela cidade anônimos.

Acima: táxi preto; placa comemorativa.

Festivais no Gelo
Entre 1400 e 1900, houve 23 invernos em que o rio Tâmisa congelou. Quando o gelo ficava sólido o suficiente e durava, eram realizados festivais no rio, com eventos de todo tipo, desde patinação no gelo até *bull-baiting* (jogo sádico em que Bulldogs eram usados para atacar touros) e corridas de cavalo. No último festival, em 1814, até mesmo um elefante foi conduzido de um lado a outro do rio, sob a ponte Blackfriars. Desde então, o Tâmisa nunca mais congelou: o clima se tornou mais ameno, a antiga ponte London Bridge (que tornava mais lenta a corrente) foi demolida em 1831 e foram construídas barragens, tornando o rio mais profundo e menos passível de se congelar.

O CLIMA

O clima em Londres é ameno. Temperaturas abaixo de zero e neve são ocorrências raras (e quando neva, caem apenas salpicos de neve). A temperatura média em janeiro é de 6°C. No verão, a temperatura média é de 18°C, embora possa ser bem mais alta, provocando um calor sufocante (o ar-condicionado não é universal...). O calor armazenado pelos edifícios da cidade cria um microclima com temperaturas até 5°C mais quentes do que nos arredores. Mesmo assim, as temperaturas no verão raramente sobem mais do que 33°C, e a temperatura mais alta já registrada foi de 38°C, medida em Kew Gardens durante a onda de calor na Europa em 2003.

Por outro lado, as flutuações no dia-a-dia podem ser significativas, e pancadas d'água pegam as pessoas desprevenidas o ano inteiro – assunto predileto da população e motivo para constantes queixas. Qualquer que seja a estação, os visitantes devem ir para Londres equipados com roupas e acessórios para clima chuvoso.

A GEOGRAFIA DE LONDRES

O mapa político

Quando as pessoas falam de Londres, em geral estão se referindo à área abrangida pela Grande Londres. Esta organização administrativa foi imposta à cidade em 1965 e inclui a City of London e 32 bairros.

Originalmente, havia duas cidades no que hoje é Londres: a City of Westminster (centrada nas Casas do Parlamento e na Abadia de Westminster) e a City of London (geralmente chamada apenas de "City"), que é hoje o centro financeiro de Londres – a área histórica entre a Catedral de São Paulo e a Torre de Londres). Hoje, Westminster é um bairro como outro qualquer, governado por uma subprefeitura. A City of London, por outro lado, tem seu próprio governo desde o século XII: a Corporation of London, presidida pelo Lord Mayor ("Prefeito").

A autoridade máxima da Grande Londres é a Greater London Authority (GLA), cujo prefeito é eleito (e não deve ser confundido com o Lord Mayor da City of London). O prefeito e a GLA são responsáveis pela Metropolitan Police Authority (departamento da polícia metropolitana), pelo London Fire (corpo de bombeiros) e pela Emergency Planning Authority (a agência de desenvolvimento e transporte para Londres). Serviços como a remoção de lixo, subsídio habitacional e controle dos estacionamentos ainda são da alçada dos 32 bairros.

Norte-Sul, Leste-Oeste

Quaisquer que sejam as subdivisões políticas de Londres, as subdivisões geográficas e sociais em geral são mais importantes, entre elas o rio Tâmisa, que divide a cidade em duas áreas: norte e sul. Historicamente, o lado norte do rio sempre foi a área governamental e comercial. O sul, com exceção das margens do rio, foi menos desenvolvido até o séc. XIX, quando se tornou uma vasta área residencial e, ainda hoje, é muito menos um destino para quem deseja fazer um passeio do que o norte de Londres; é sabido que os chofêres de táxi às vezes se recusam a levar um passageiro ao sul do rio.

O oeste de Londres, especialmente Mayfair, Kensington e Chelsea, é a parte luxuosa da cidade. Atualmente, é a região preferida dos estrangeiros abastados, atraídos pela relativa segurança da área, pelo potencial de investir numa de suas elegantes casas e pelo tolerante sistema tributário do Reino Unido. Por outro lado, historicamente, o leste de Londres sempre abrigou algumas das comunidades mais pobres da cidade, com a classe trabalhadora nativa vivendo bem próxima às docas, lado a lado com os imigrantes recém-chegados. Algumas partes dessa região são hoje mais vibrantes do que o oeste de Londres e se tornaram as preferidas de artistas e de uma geração mais jovem e aberta.

O CÉU E O INFERNO

Samuel Johnson, homem de letras do séc. XVIII, fez a famosa declaração: "Quando alguém se cansa de Londres, é porque está cansado da vida, pois em Londres se encontra tudo o que a vida pode proporcionar". A cidade oferece a alguns a chance de enriquecer, a outros, de estar no centro da efervescência cultural, e a muitos outros, a oportunidade de serem eles mesmos num ambiente tolerante e civilizado (qualquer que seja sua religião ou cor, orientação sexual ou estilo de vida).

No entanto, houve períodos em que Londres foi menos idílica. Em 1819, o poeta Shelley escreveu: "O inferno é uma cidade muito parecida com Londres/ Uma cidade populosa e esfumaçada". De fato, as ruas na City eram tão escuras e estreitas que os lojistas tinham de colocar espelhos do lado de fora de suas janelas para que a luz refletisse dentro das lojas. E até hoje a cidade sofre com problemas de poluição e congestionamento, justificando a alcunha de "A Grande Fumaça", designação ainda amplamente usada.

Por outro lado, nos últimos 25 anos, viu-se a cidade renascer, com a regeneração de áreas negligenciadas, com o vibrante cenário artístico e musical, com a redução da taxa de desemprego e mesmo com certas melhorias no transporte público. O otimismo e a confiança resultantes tiveram seu ápice no final da década de 1990, quando Londres se tornou o centro daquilo que a mídia denominou "Cool Britannia" ("a Grã-Bretanha legal"), e passou a atrair muitas pessoas influentes e ambiciosas.

Acima, da extrema esquerda para a direita: vista panorâmica do rio Tâmisa; londrina modernosa; espreguiçadeiras no Hyde Park; St. Pancras.

Camden

Camden (ao norte da Euston Station), que nos anos 1990 foi um dos cenários musicais londrinos, abriga inúmeras discotecas, bares e outros locais onde bandas famosas fizeram seus primeiros shows. Experimente o Barfly, o Jazz Café, o Dublin Castle ou o Bull and Gate. Há ainda um mercado ao redor de Camden Lock, onde você poderá comprar roupas retrô.

Abaixo: chá das cinco no Hotel Ritz.

ONDE COMER

A cozinha britânica costumava ser conhecida como pesada e excessivamente cozida. Não mais: além de poder experimentar as culinárias de quase todos os países do mundo, e muito bem-feitas, você poderá também saborear o melhor da culinária britânica.

Nas últimas décadas, houve uma mudança notável no cenário gastronômico londrino, que hoje se equipara aos melhores do mundo. A apreciação dos londrinos por culinárias inovadoras e que utilizam os mais finos ingredientes fez com que a cidade viesse a ser invejada por outras capitais tradicionalmente consideradas melhores gastronomicamente. No passado, as coisas eram bem diferentes, a culinária britânica era alvo de muitas piadas, especialmente por parte dos franceses. Jacques Chirac citou: "não se pode confiar em pessoas que cozinham tão mal". Atualmente, uma boa costeleta de porco do St. John ou uma lagosta escocesa no Gordon Ramsay o faria engolir suas palavras.

A CULINÁRIA BRITÂNICA

O desabrochar da gastronomia londrina está muito ligado à sua revalorização e ao grande interesse dos londrinos pela culinária de outros países. Uma nova geração de *chefs* provou, com muita autoridade, que a comida britânica é muito mais do que a combinação de uma carne com dois legumes, ou uma pesada torta mergulhada em molho, ou um sanduíche com batatas fritas encharcadas de gordura. Hoje, você poderá se deliciar com caranguejos de Cromer, peixes da Cornuália, pato de Gressingham, carneiros suculentos, filé mignon de Galloway e com sobremesas tradicionais, como pudim de pão (maravilhosamente leve (quando bem-feito) ou bolo Eccles e queijo Lancashire. E essa nova e primorosa culinária também é encontrada nos *pubs*, onde as pastas de camarão, os bolos de carne, os ensopados e o tradicional prato de salsicha com purê de batatas são preparados com muito zelo e servidos com muito orgulho.

ONDE COMER

Os restaurantes mais caros

Nos últimos anos, foram abertos muitos restaurantes candidatos a estrelas no famoso guia Michelin (além do já há muito estabelecido Le Gavroche), entre eles: Gordon Ramsay, Marcus Wareing, Tom Aikens e Angela Hartnett, que aumentaram as expectativas em relação ao que os restaurantes devem oferecer.

Há também lugares influentes que ignoram o etos do Michelin, como o River Café, com sua moderna e despretensiosa cozinha italiana, e St. John, que liderou o renascimento da cozinha britânica. Ambos utilizam ingredientes da mais alta qualidade que, por si só e com o mínimo de sofisticação possível em seu preparo, atestam o refinamento de seus pratos.

Diz-se com freqüência que muitos restaurantes londrinos se preocupam mais com a decoração e a imagem do

Acima: faca, garfo e guardanapo; flores decorativas; e café, no Vinoteca (ver p. 59).

No alto, da esquerda para a direita: restaurante Simpson's, no Strand, bastião da culinária britânica tradicional; restaurante Bibendum, de Terence Conran, na antiga sede da Michelin, em Fulham Road; o colorido de garrafas de azeite de oliva; o clássico *fish and chips*.

Do outro lado: o livresco Asia de Cuba.

estabelecimento que com a comida em si. Por exemplo, com relação aos restaurantes Sketch e China Tang, alguns acham que a comida é apenas mediana para que o foco seja a decoração do ambiente. No caso do The Ivy e do Cipriani, o foco são os próprios clientes, alguns deles celebridades.

Muitos dos restaurantes mencionados requerem que se faça reserva com muitas semanas, ou mesmo meses, de antecedência. Lembre-se também de que se o estabelecimento lhe pedir na reserva os dados de seu cartão de crédito, você poderá ser cobrado mesmo se não comparecer.

Pubs

Se não lhe agradar ter de reservar com antecedência, pagar contas altíssimas e ter de lidar com muita formalidade, não se preocupe. Muitas das melhores refeições em Londres são bastante baratas e os locais, bem descontraídos.

Um importante componente da história social britânica, a *public house* (ou *pub*), nos últimos anos foi revalorizado. É muito boa a combinação de torta de carne com cerveja. A comida típica dos *pubs* não deixa de ser um tipo distinto de culinária – e não estou me referindo ao tradicional *ploughman's lunch* sanduíche de queijo servido com alface murcha –, e sim à torta de filé e rim, ao bolo de carne, ao ensopado à moda de Lancashire, ao bolo de carne moída ou à salsicha com purê de batata, e ao tradicional rosbife, servido aos domingos. São pratos deliciosos, quando bem-feitos.

Muitos *pubs* tradicionais se tornaram "gastropubs", *pubs* gastronômicos especializados em comida de primeira qualidade, muitos deles excelentes. O clichê é que todos tenham aspecto de um *pub* profano: a pátina de muitos séculos tendo sido removida, pisos de tábuas de madeira lixados, paredes brancas, móveis desgastados (para dar um toque chique) e um quadro-negro com a lista de pratos pseudomediterrâneos.

Experimente o The Anchor and Hope, no South Bank, ou The Coach and Horses, na City, ou The Cow, na Westbourne Park Road, perto de Notting Hill.

Restaurantes étnicos

Uma outra importante herança culinária londrina é a imensa variedade de restaurantes étnicos, principalmente indianos, chineses, japoneses, vietnamitas e tailandeses. Segundo autoridades locais, 53 países estão representados entre os 6 mil restaurantes londrinos.

Fish and Chips

Embora na década de 1930 existissem mais de 30 mil lojas de *fish and chips* na Grã-Bretanha, hoje há apenas 8.600. O futuro das que subsistem está ameaçado pelo definhamento do estoque de peixes e pelas redes de *fast-food*. No passado, preferia-se bacalhau fresco no sul do Reino Unido e hadoque no norte. Mas o verdadeiro teste da habilidade de quem frita os peixes é a arraia: se for cozida no ponto certo, fica macia e leve, mas, se for cozida somente 90%, fica viscosa e ossuda.

Inundação de cerveja

Em 1814, numa cervejaria em Tottenham Court Road, rompeu-se um imenso tonel contendo 511 mil litros de cerveja, fazendo com que o mesmo acontecesse com outros tonéis no prédio, num efeito dominó. Foram jorrados mais de 1.223.000 litros de cerveja na rua. Esse tsunami de cerveja destruiu duas casas e derrubou o muro do *pub* Tavistock Arms, matando a garçonete, que ficou presa debaixo do entulho. Morreram ao todo nove pessoas: oito delas por afogamento e uma por intoxicação alcoólica. A cervejaria foi processada pelo acidente, mas o juiz e os jurados decidiram que o desastre havia sido uma "obra de Deus".

Siga para a Kingsland Road, no East End, se desejar comida vietnamita; a Whitechapel ou Tooting, para comida indiana; e Mayfair, para comida japoneses (a maioria deles caros).

"Greasy Spoons", "Pie and Mash" e "Fish and Chips"

Os cafés do tipo *greasy spoon* [colher engordurada], onde a comida é simples e gordurosa, e as lojas que vendem *fish and chips* (peixe empanado com batata frita) e *pie and mash* (torta com purê de batatas) – redutos da classe trabalhadora – tendem a ser desprezados e estão desaparecendo do cenário londrino. Mesmo quinze anos atrás, encontrava-se esses estabelecimentos servindo comida pelando e barata. Atualmente, vêm sendo substituídos por cafés mais elegantes e cadeias de *fast-food*, que podem arcar com aluguéis mais caros.

Os *greasy spoons* servem café-da-manhã o dia todo. A comida vem sempre acompanhada de pão de forma branco e manteiga, e o chá preto é sempre muito forte (e servido em caneca). Acesse <www.classiccafes.co.uk> para uma antologia dos melhores *greasy spoons* ainda existentes.

As lojas de *pie and mash*, decoradas com belos azulejos, mesas com tampo de mármore e bancos de madeira, servem tortas de carne ou de enguia com molho de salsa, com purê de batatas. Bons exemplos são: M. Manze, em Tower Bridge, e F. Cooke, no Broadway Market, no East End.

Por fim, há as lojas de *fish and chips*, com suas batatas fritas gordurosas (e impossíveis de serem reproduzidas numa cozinha convencional) e seus peixes empanados e duplamente fritos em gordura de vaca. Experimente o Fryer's Delight, em Holborn (ver p. 52), e o Rock and Sole Plaice, em Covent Garden (ver p. 35).

Redes de restaurantes

Londres tem mais redes de restaurantes que qualquer outra cidade européia. Algumas são razoáveis, como o Carluccio ou o Gourmet Burger Kitchen, outras, bastante sofríveis, onde a comida congelada é esquentada em microondas e os funcionários são apáticos, como é de esperar, considerando o baixo salário. Surpreendentemente, são as áreas mais ricas que têm o maior número dessas redes e muito pouco para oferecer além disso.

BEBIDAS

Cerveja

Tradicionalmente, a cerveja é para a Grã-Bretanha como vinho é para a França. Há diversos tipos, e a marca mais famosa provavelmente é a Guinness.

Os *pubs* em geral servem cerveja "na pressão", ou diretamente do barril. Para o primeiro, pressuriza-se um barril com gás carbônico, que faz com que a cerveja suba em direção à torneira de extração. No segundo caso, a cerveja é extraída do barril por um sifão e uma bomba manual. Este é o método normalmente usado para a chamada "real ale", a cerveja não filtrada e não pasteurizada que, diferente da cerveja produzida industrialmente, requer cuidados especiais em sua forma de armazenamento, que deve ser na temperatura certa.

Vinho

A popularidade do vinho aumentou nos últimos vinte anos. Anteriormente, os *pubs* serviam apenas Liebfraumilch e, possivelmente, Lambrusco; hoje se pode contar com uma seleção mais requintada, e os vinhos do Novo Mundo são tão oferecidos nos *pubs* quanto os vinhos europeus. A crescente popularidade do vinho no Reino Unido encorajou alguns a produzir vinhos ingleses. Experimente o restaurante Roast (*ver p. 66*), no segundo andar do Borough Market, há uma boa seleção de vinhos ingleses.

Cidra
Bebida inglesa tradicional, a cidra é produzida no sudoeste da Inglaterra desde antes da chegada dos romanos. Feita do suco fermentado de maçãs, é também conhecida como "scrumpy" [frutas derrubadas pelo vento]. Infelizmente, muitos *pubs* oferecem apenas cidra feita de concentrado de maçã e produzida em massa. Para experimentar a verdadeira cidra, vá ao *pub* The Blackfriar (*ver p. 53*) ou ao The Harp, em Chandos Place, que fica atrás de St-Martin-in-the-Fields (*ver p. 25*), ou ao restaurante Chimes, na Churton Street, em Pimlico.

Uísque
Uma outra especialidade é o uísque produzido na Escócia e na Irlanda e vendido nas formas "single malt" (única destilaria) ou "blended", uísques mais baratos, normalmente feitos de uma mistura de malte e grãos e produzidos por várias destilarias. A maioria dos *pubs* no centro de Londres serve uma pequena seleção de ambos os tipos. Os aficionados talvez queiram se tornar membros da Whisky Society que se reúnem nas salas de cima do restaurante Bleeding Heart, em Hatton Garden, no bairro de Clerkenwell (Bleeding Heart Yard; tel.: 020-7831 4447; <www.smws.co.uk>).

Últimos pedidos
A maior parte dos *pubs* toca um sino às 23h para que os clientes façam seus últimos pedidos ("last orders") e, com isso, terminem de tomar seus últimos drinques. Entretanto, em 2003, foi introduzida uma nova legislação permitindo que os proprietários estendessem o horário de funcionamento para 24 horas ao dia, sete dias na semana. Na prática, poucos *pubs* adotaram esse horário.

Acima, da esquerda para a direita: Raffles Brown's Hotel, um ambiente aconchegante para o chá das cinco; profiteroles; peixes grelhados no St. John Bread and Wine (*ver p. 91*); restaurante Laughing Gravy.

Curry
Um ministro recente das Relações Exteriores, Robin Cook, afirmou que o "verdadeiro prato nacional britânico" era galinha tikka masala (prato conhecidamente indiano). De fato, hoje os restaurantes indianos empregam várias pessoas.

Mercados
O melhor mercado em Londres para o visitante é provavelmente Borough Market, próximo a London Bridge (5ª, 11h-17h; 6ª, 12h-18h; sáb., 9h-16h), local histórico onde se vendem alguns dos melhores produtos agrícolas do país. Para informações sobre outros mercados, acesse <www.lfm.org.uk>. Os principais mercados que vendem por atacado são Smithfields (carnes) (2ª-6ª, 4h-10h), Billingsgate (peixes), em Docklands (há visitas guiadas; 3ª sáb., 5h-8h30) e Spitalfields (frutas e legumes), em Leyton (2ª a 6ª, de meia-noite às 13h, sáb. até as 11h).

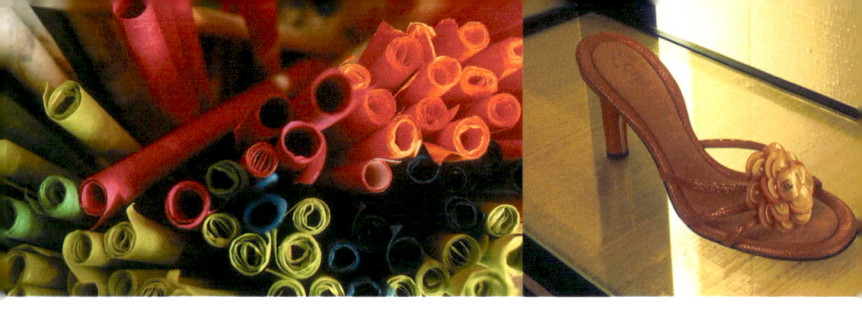

COMPRAS

Napoleão dizia que a Inglaterra era uma nação de lojistas. Talvez tivesse razão. O que você quiser comprar – seja um piano de cauda, um sutiã sob medida, um papagaio ou uma caixa de rapé – será encontrado numa loja em Londres.

É fácil gastar dinheiro em Londres: há mais de 30 mil lojas, onde se encontra tudo o que se deseja, desde quadros de grandes mestres e cartazes de filmes antigos a ternos sob medida na rua Savile Row e *t-shirts* com motivos punk ou de rock. E os domingos e as férias de verão não são sagrados, diferente de muitas outras capitais européias: este é o destino de compradores o ano todo.

ONDE FAZER COMPRAS

Para aqueles interessados na venda a varejo, a grande extensão da cidade significa que é preciso ser seletivo. Por outro lado, é relativamente fácil se deslocar pelas áreas comerciais de Londres, que se dividem em bairros, cada qual oferecendo um tipo de produto. Em alguns casos, há ruas inteiras dedicadas a um mesmo tema: Savile Row e Jermyn Street – roupas masculinas; Hatton Garden – jóias; Carnaby Street – roupas para o dia-a-dia.

O melhor meio de transporte é o metrô, embora, na volta, aqueles que estiverem carregados de compras talvez prefiram pegar um táxi. A rede de ônibus cobre muitas áreas, mas é um transporte mais lento e mais complicado de acertar, quando não se conhece bem a cidade. Obviamente, é sempre bom caminhar, e as distâncias entre algumas ruas – são curtas o suficiente para se andar.

Acima: roupas *prêt-a-porter;* jeans na Top Shop, a maior loja de roupas do mundo; o personagem Jeremy Fisher, na Peter Rabbit & Friends, em Covent Garden.

Horários de funcionamento
A maioria das lojas abre das 9h ou 10h até as 18h ou 18h30. As lojas no West End em geral ficam abertas até mais tarde às quintas-feiras (até as 19h ou 20h). Muitas lojas funcionam aos domingos, mas por menos tempo.

Bairros para roupas de grife

Para aqueles que desejarem o melhor das roupas de grifes européias e internacionais: Knightsbridge, onde se situam as lojas de departamento Harrods e Harvey Nichols, seja talvez o melhor bairro. Nelas, encontram-se peças de grandes nomes da alta-costura, desde Armani a Yves Saint Laurent. Também em King's Road e Fulham Road, no bairro de Chelsea, a oeste de Knightsbridge, concentram-se estilistas de alta-costura, como Hardy Amies e Amanda Wakeley, em meio a elegantes lojas de decoração de interiores.

Bond Street, em Mayfair, também oferece grandes opções para roupas de grife, bem como os mais famosos joalheiros do mundo, além de alguns dos melhores *marchands* de quadros de grandes mestres e móveis antigos. Cork Street, a rua seguinte, é ladeada de *marchands* de arte moderna, e, um pouco mais adiante, na direção leste, fica Savile Row (*veja à esquerda*).

Os arredores de Piccadilly

Nos arredores do bairro Piccadilly, encontram-se as lojas mais antigas de Londres – muitas possuem *Royal Warrants* (Alvará Real) para fornecerem regularmente artigos para membros da família real. Na rua Piccadilly, ficam a sofisticada Fortnum & Mason, famosa por suas especiarias de luxo, e a livraria Hatchard's. Na Jermyn Street, rua paralela à Piccadilly, concentram-se os camiseiros, embora também seja o lugar ideal para encontrar um robe de seda ou chinelos bordados com monogramas. Na St. James's, logo ao lado, ficam as lojas de James Lock, famoso chapeleiro, e de John Lobb, uma das melhores marcas de sapatos masculinos. E há também a Regent Street, primeira rua no mundo a ser construída especificamente como rua de lojas; estende-se de Piccadilly Circus, ao norte, até depois de Oxford Street. Nela, encontram-se a loja de brinquedos Hamleys e a loja Liberty –, uma instituição britânica especializada em tecidos finos e lenços de seda.

Cadeias de lojas e lojas de departamento

A Oxford Street caracteriza-se pelas cadeias de lojas e lojas de departamento. Próximo a Oxford Circus, na direção sul, fica a Carnaby Street (*veja à esquerda*). Por fim, a leste do final da Oxford Street, está a Tottenham Court Road, onde se concentram as lojas de artigos eletrônicos e hi-fi, bem como as de artigos para casa, entre elas, a Habitat e a Heal's.

Soho e Covent Garden

Embora o Soho nunca tenha perdido sua má reputação, há excelentes delicatéssen e lojas de roupas modernosas entre uma *sex shop* e outra. Os amantes de livros devem seguir para a Charing Cross Road (e Cecil Court também), onde se acham diversos sebos, além de filiais de muitas das maiores cadeias de livrarias.

Covent Garden oferece a moda de rua e lojas especializadas em bules de chá, pipas, queijos e brinquedos de madeira.

MERCADOS

Em Londres, há mercados de antigüidades, de artesanato, de roupas e, claro, de comida (*ver p. 17*). Para os amantes de antigüidades, Portobello Road é a melhor opção, e o mercado principal funciona aos sábados. Uma alternativa seria o Alfies Antique Market (3ª-sáb., 10h-18h), na Church Street, perto de Marylebone. Se desejar objetos mais finos, visite as lojas na Kensington Church Street, onde mais de 80 antiquários exibem seus achados.

Para roupas e artesanato, há no East End mercados que funcionam nos fins de semana, em Spitalfields e em Brick Lane, além das confecções em Petticoat Lane, que abrem todos os dias da semana e aos domingos de manhã. E também Portobello Road e Camden Lock. No mercado de Greenwich (5ª-dom.), a ênfase é em artesanato e produtos alimentícios finos.

Acima, da extrema esquerda para a direita: papéis de diversas cores na Papyrus; sapatos *sexies* no refinado bairro de Mayfair; manequins na Harrods; flores chiques à venda em South Kensington.

As liquidações

As liquidações no Reino Unido ocorrem principalmente em janeiro e em julho/agosto. Há reduções de 50% ou mais, principalmente em artigos de maior porte ou em roupas da estação anterior.

Abaixo: a seção de comidas do Harrods, em estilo *art nouveau*.

COMPRAS **19**

HISTÓRIA: DATAS-CHAVE

Londres, com toda a pompa que lhe é característica, tornou-se uma das capitais mais vibrantes culturalmente, mais cosmopolitas e mais multiétnicas do mundo, apesar de sua origem humilde e de todos os saqueios, incêndios, pestes e guerras que enfrentou ao longo dos séculos.

HISTÓRIA ANTIGA

43 d.C.	O imperador Cláudio cria o porto de Londinium e constrói uma ponte sobre o rio Tâmisa.
61	Boadicea saqueia a cidade, mas é derrotada, e Londres é reconstruída.
c.200	É construída a muralha da cidade. Londres torna-se a capital da Britânia Superior.
410	Os romanos retiram-se para defender Roma. Londres entra em declínio.
604	A primeira Catedral de São Paulo é fundada pelo rei Ethelbert.
c.750	O monastério de St. Peter é fundado na Ilha Thorney; e, mais tarde, vem a ser a Abadia de Westminster.
884	Londres passa a ser a capital no reinado de Alfredo, o Grande.
1042	Eduardo, o Confessor, transfere sua corte para Westminster.

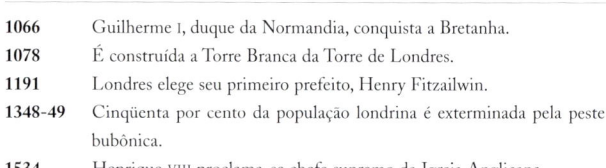

DEPOIS DA CONQUISTA

1066	Guilherme I, duque da Normandia, conquista a Bretanha.
1078	É construída a Torre Branca da Torre de Londres.
1191	Londres elege seu primeiro prefeito, Henry Fitzailwin.
1348-49	Cinqüenta por cento da população londrina é exterminada pela peste bubônica.
1534	Henrique VIII proclama-se chefe supremo da Igreja Anglicana.
1558-1603	Londres é a capital de poderoso reino sob o domínio de Elizabeth I.
1599	É inaugurado o teatro The Globe, à margem do rio Tâmisa.
1605	Guy Fawkes tenta assassinar James I e explodir o parlamento.
1642-42	Guerra civil entre os monarquistas (Cavalier Royalists) e os republicanos (Roundheads). Os monarquistas são derrotados; Carlos I é executado.
1660	A monarquia é restaurada sob o reinado de Carlos II.
1664-46	A peste mais uma vez assola Londres, matando cerca de 110 mil pessoas.
1666	O Grande Incêndio destrói 80% dos edifícios em Londres.

APÓS O INCÊNDIO

1675	*Sir* Christopher Wren inicia a reconstrução da Catedral de São Paulo.
1764	É fundado o Clube Literário por Samuel Johnson, autor do primeiro dicionário da língua inglesa.
1783	Última execução realizada em Tyburn (Marble Arch).
1803-15	Guerras napoleônicas.

Acima: Henry Fitzailwin, primeiro prefeito de Londres; detalhe do The Globe no mapa de Londres de Visscher; Guy Fawkes e seus co-conspiradores tramam o aniquilamento do rei James I e de seu parlamento.

1811-20	Príncipe regente, posteriormente George IV; estilo Regency.
1824	Fundação da National Gallery.
1834	Tem início a construção das Casas do Parlamento, depois de pegar fogo o Palácio de Westminster.

IMPÉRIO

1837-1901	Reinado da rainha Vitória, caracterizado pela construção do Império e pela Revolução Industrial.
1849	Charles Harrod, comerciante de chás, abre uma loja em Knightsbridge.
1851	É realizada, com enorme sucesso, a Great Exhibition ("Grande Exposição"), no Palácio de Cristal projetado pelo arquiteto Joseph Paxton, em Hyde Park.
1859	O sino do Big Ben é pendurado na torre do Palácio de Westminster.
1863	Inauguração da Metropolitan Line, primeira linha do metrô de Londres.
1888	O assassino em série Jack, o Estripador, ataca em Whitechapel.

SÉCULO XX

1914-18	Primeira Guerra Mundial. Zepelins bombardeiam Londres.
1922	A BBC transmite seus primeiros programas de rádio.
1939-45	Segunda Guerra Mundial. Londres sofre tremendos bombardeios que exterminam 29 mil pessoas, danificam 80% da cidade e destroem um terço dos edifícios na City.
1951	Festival da Grã-Bretanha. Construção do centro cultural Southbank, adjacente a Waterloo.
1960s	Londres torna-se a capital da moda, da música e das artes de vanguarda.
1980s	Margaret Thatcher no poder. O IRA explode várias bombas em Londres.
1986	Thatcher extingue o Greater London Council.
1996	Inauguração do Shakespeare's Globe, na margem do rio Tâmisa.
1997	Tony Blair cria o New Labour (Novo Partido Trabalhista) e é eleito primeiro-ministro. Período cultural fértil, batizado de "Cool Britannia".

SÉCULO XXI

2000	Inauguração da Cúpula do Milênio, da London Eye, da Tate Modern e da extensão da linha de metrô Jubilee Line, para celebrar o milênio. Ken Livingstone é eleito prefeito.
2001	Reestabelecimento da Greater London Authority, no governo de Livingstone.
2003	Adoção de "taxa de congestionamento" para o tráfego no Centro de Londres.
2005	Reeleição do Partido Trabalhista. Londres vence a concorrência para sediar as Olimpíadas de 2012. Ataques terroristas em 7 de julho matam 52 pessoas e ferem cerca de 700.
2007	Gordon Brown sucede a Blair como primeiro-ministro.
2012	Londres sedia os Jogos Olímpicos.

Acima, da esquerda para a direita: quadro histórico retratando o Tâmisa, pintado por Robert Havell Jr., c.1822.

A Grande Exposição
Em 1851, a rainha Vitória (1837–1901) inaugurou a "Grande Exposição dos Trabalhos Industriais de Todas as Nações" numa magnífica construção em vidro no Hyde Park – batizada de "Crystal Palace" (Palácio de Cristal). Foram exibidas ao mundo inteiro as habilidades e realizações da Grã-Bretanha, atraindo cerca de 6 milhões de visitantes. Com o lucro obtido (186 mil libras), o príncipe Alberto (1819–1861) realizou sua grande ambição: um centro de aprendizagem. Floresceram nos jardins de Kensington verdadeiros templos dedicados às artes e às ciências, apelidados de "Albertópolis". Em 1857, foi aberto um museu que, posteriormente, veio a se chamar Victoria and Albert Museum, seguido, em 1871, pelo Royal Albert Hall e, em 1881, pelo Museu de História Natural.

COVENT

Royal Academy of Arts

ITINERÁRIO

1. As principais atrações
   turísticas 24
2. Os museus nacionais 31
3. Covent Garden e Soho 34
4. Piccadilly e Mayfair 40
5. Marylebone 44
6. Regent's Park 46
7. Bloomsbury 48
8. Holborn e
   os Inns of Court 52
9. City of London 55
10. South Bank 60
11. Tate Modern e Tate Britain 68
12. Hyde Park 72
13. South Kensington
    e Knightsbridge 76
14. Chelsea 81
15. Passeio no tradicional
    ônibus de dois andares 84
16. Hampstead 86
17. Notting Hill 88
18. East End 90
19. Greenwich 94
20. Kew 98

AS PRINCIPAIS ATRAÇÕES TURÍSTICAS

Num mundo em constante transformação, é tranqüilizador saber que Nelson permanece em sua coluna na Trafalgar Square, que a residência do primeiro-ministro continua no n. 10 da Downing Street, que o Big Ben ainda soa nas Casas do Parlamento e que a rainha ainda reside no Palácio de Buckingham.

DISTÂNCA 5 km
DURAÇÃO Um dia inteiro
INÍCIO Trafalgar Square
FIM Palácio de Buckingham
OBSERVAÇÕES
A troca da guarda em Whitehall ocorre às 11h e no Palácio de Buckingham, às 11h30. Uma versão mais curta começa em Trafalgar Square, e de lá, segue direto para o Mall. No verão, o último horário para entrar no Palácio de Buckingham é 15h45.

Este é o trajeto indicado se for a sua primeira visita a Londres ou se você desejar rever os principais pontos turísticos relacionados à realeza e à vida política da capital. Trafalgar Square, onde esta caminhada tem início, é muito próxima da estação ferroviária Charing Cross e da Villiers Street, onde se encontra o bar **Gordon's** (ver ⑭①). Recomendamos que esta seja a sua primeira parada para forrar o estômago.

Acima: a estátua de Nelson domina a Trafalgar Square; hoje é proibido alimentar os pombos na praça, para diminuir a quantidade deles.

Árvore de Natal
Desde 1947, o governo norueguês presenteia os londrinos no Natal com um pinheiro norueguês, em agradecimento ao apoio britânico durante a Segunda Guerra Mundial. No outono, o prefeito de Westminster visita Oslo para participar da derrubada da árvore.

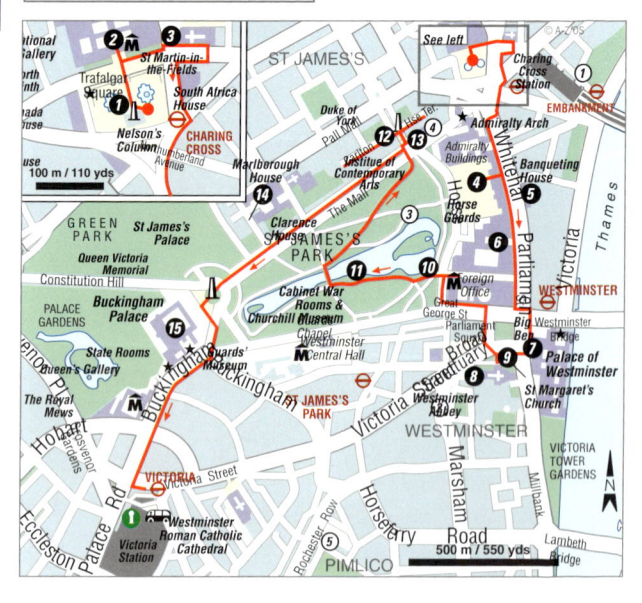

TRAFALGAR SQUARE

Trafalgar Square ❶ situa-se exatamente no centro de Londres, conforme atesta na ilha a placa para pedestres. Foi concebida pelo príncipe regente em 1820 e projetada em sua forma atual por *sir* Charles Barry em 1838; passou a se chamar assim em 1841, em comemoração à vitória de Nelson sobre a marinha de Napoleão, na Batalha de Trafalgar, em 1805.

A Coluna de Nelson

No centro da praça, vê-se a **Nelson's Column**, coluna de granito de 46 m rematada por uma estátua de 5,5 m do almirante lorde Nelson. Com marcas das batalhas enfrentadas e dispondo de apenas um dos braços (embora sem o tapa-olho com que cobria o olho cego), Nelson olha em direção ao sul, como vistoriando a frota de navios em miniatura acima dos mastros de bandeiras alinhados ao longo do Mall. A coluna concluída em 1843 foi projetada por William Railton, e o projeto da estátua é de E. H. Baily. Os quatros leões na base da coluna foram adicionados em 1867 pelo escultor Edwin Landseer, que usou o metal dos canhões da frota francesa vencida para moldá-los.

Ao redor da praça

Circundam a praça: a Canada House, a South Africa House e a Uganda House, memórias dos tempos do império, hoje distante. No lado norte da praça, vê-se a **National Gallery** ❷ (*detalhada no itinerário 2*), onde são exibidas obras anteriores ao séc. XX.

No gramado à frente do museu, há uma estátua do rei James II, projetada por Grinling Gibbons.

St. Martin-in-the-Fields

No lado leste da praça, encontra-se a igreja **St. Martin-in-the-Fields** ❸ (tel.: 020-7766 1100; diariamente, 8h-18h; grátis). O local abriga uma igreja desde o séc. XIII, quando esta área era apenas um campo entre a City of Westminster e a City of London.

Foi projetada por James Gibbs e concluída em 1726. Sua combinação de estilos clássico e barroco serviu de modelo a muitas igrejas nos EUA. A igreja foi custeada em grande parte pelo rei George III e é até hoje a igreja paroquial do Palácio de Buckingham; a tribuna à esquerda da galeria é reservada para os membros da família real.

São muito concorridos os concertos de música clássica realizados aqui. Além disso, a igreja abriga um Brass Rubbing Centre e um ótimo café. No adro, na parte externa, foram enterrados a amante de Carlos II, Nell Gwynn, William Hogarth e Joshua Reynolds.

Onde comer

① GORDON'S WINE BAR
47 Villiers Street; tel.: 020-7930 1408; diariamente, almoço e jantar; café-da-manhã de 2ª-6ª, a partir das 8h; ££
Este bar, comandado por uma família, fica ao lado da estação de metrô Embankment, logo atrás de Charing Cross. Experimente excelentes vinhos e saboreie tortas e queijos deliciosos à luz de velas no porão deste edifício onde já habitou Samuel Pepys e, muito mais tarde, Rudyard Kipling. No verão, há mesas ao ar livre.

Acima, a partir da extrema esquerda: a troca da guarda no Palácio de Buckingham; National Gallery, na Trafalgar Square; um dos icônicos leões de Landseer; coroa em comemoração à Segunda Guerra Mundial, em Whitehall.

O Quarto Pilar
O quarto pilar na Trafalgar Square foi deixado vago depois que o plano, em 1841, de erigir uma estátua eqüestre foi abaixo, por falta de verbas. Recentemente, foram sugeridos como possíveis ocupantes Nelson Mandela, a princesa Diana e David Beckham. Atualmente, é ocupado por obras de arte encomendadas, e cada qual é exposta por 18 meses. Ao ser escrito este livro, estava exposta a obra *Model for a Hotel 2007*, de Thomas Schütte.

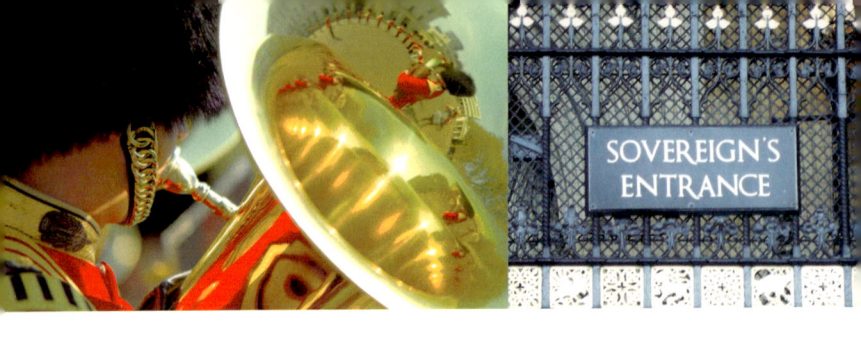

Acima, da esquerda para a direita: a guarda escocesa; entrada reservada à rainha.

Estátua de Carlos I
A estátua de Carlos I, um projeto de Hubert le Sueur, dá para Whitehall. Foi a primeira estátua eqüestre em bronze criada na Inglaterra e moldada em 1633.

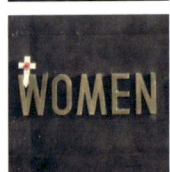

Monumento ao Soldado Desconhecido
Do lado de fora do Ministério das Relações Exteriores, no meio da rua, ergue-se o Cenotaph, construído por Edwin Lutyens em memória daqueles que morreram na Primeira Guerra Mundial. Próximo a esse monumento, encontra-se um memorial às mulheres da Segunda Guerra Mundial, retratando roupas de trabalho femininas, penduradas no final da Guerra.

WHITEHALL

Ao sair da Trafalgar Square, siga na direção sul pela avenida Whitehall, assim chamada por ter sido este o nome do palácio de Henrique VIII, que pegou fogo em 1698. A maioria dos imensos prédios são departamentos governamentais. Os primeiros à direita reuniam o antigo almirantado; à esquerda, fica o Ministério da Defesa.

Horse Guards

Logo em seguida, à direita, você verá, através do arco, a **Horse Guards** ❹, onde a cavalaria real – tropa de proteção à rainha em cerimônias oficiais – apresenta diariamente uma pitoresca cerimônia conhecida como Troca da Guarda (2ª-sáb., às 11h; dom., às 10h; grátis). Câmeras são clicadas, os cavalos cabeceiam, ordens são gritadas e a tropa retorna a seu quartel.

Banqueting House

No lado oposto à Horse Guards, vê-se a **Banqueting House** ❺ (tel.: 020-7930 4179; <www.hrp.org.uk>; 2ª-sáb., 10h-19h. Na primeira segunda-feira de todo mês, com exceção de agosto, são realizados concertos na hora do almoço (entrada paga). Foi construída por Inigo Jones para James I como parte do Palácio de Whitehall, em 1619-1622, e, provavelmente, o primeiro prédio em Londres construído com pedra Portland, além de ter sido a primeira construção no estilo clássico do arquiteto italiano Andrea Palladino, do séc. XVI.

Naquela época, deve ter se destacado como uma construção surpreendentemente vanguardista em meio às construções em estilo Tudor, em madeira e tijolo, que a circundam (que pegaram fogo em 1698). No interior da casa, o teto pintado por Rubens é um grande contraste com o estilo mais sóbrio da parte externa. Encomendada por Carlos I para glorificar seu pai, James I, a casa é uma celebração do direito divino dos reis da dinastia Stuart. Entretanto, um busto na entrada da casa comemora o fato de Carlos ter sido decapitado ali fora em 1649.

Downing Street

Do outro lado da rua, um pouco mais adiante, fica a **Downing Street** ❻, rua da residência oficial dos primeiros-ministros britânicos desde 1732. Tradicionalmente, o primeiro-ministro reside no n. 10 e o ministro das finanças, no n. 11. William Gladstone e sua família, porém, ocuparam os nos 10, 11 e 12 durante o seu último mandato, em 1881. Por razões de segurança, em 1989, foram erguidos portões de aço na rua, para impedir o acesso do público.

PARLIAMENT SQUARE

Continue descendo a avenida Whitehall e verá, à direita, o **Foreign Office**, prédio em estilo italiano projetado por George Gilbert Scott e concluído em 1868. O ministério foi, mais tarde, transferido para a Parliament Square.

À sua esquerda, está o **Palace of Westminster** ❼, que abriga as duas Casas do Parlamento: House of Lords e House of Commons. Os visitantes podem assistir aos debates, às audiências judiciais e aos comitês, bem como fazer visitas guiadas pelo palácio (para informações: tel.: 020-7219 4272; visitas guiadas: tel.: 0870 906 3773; <www.parliament.uk>; entrada paga). O ingresso pode ser comprado no dia, na bilheteria ao lado da Jewel Tower, no Old Palace Yard, que fica do outro lado da rua.

O resto do antigo palácio foi praticamente destruído num incêndio ocorrido em 1834 – a cripta da capela St. Stephen e a Jewel Tower sobreviveram à catástrofe. A reconstrução do palácio estendeu-se por trinta e poucos anos, segundo as plantas neogóticas de *sir* Charles Barry e A. W. Pugin.

Entretanto, durante a Segunda Guerra Mundial, um bombardeio aéreo destruiu o salão da Câmara dos Comuns, e o arquiteto *sir* Giles Gilbert foi encarregado do projeto de reconstrução desta parte. Hoje, este imenso prédio contém quase 1.200 aposentos, 100 escadarias e mais de 3 quilômetros de corredores.

Abadia de Westminster
Do outro lado das Casas do Parlamento, ao sul da praça, encontra-se a **Westminster Abbey** ❶ (tel.: 020-7222 5152; <www.westminster-abbey.org>; igreja principal da abadia: 2ª, 3ª, 5ª e 6ª, 9h30-15h45; 4ª, 9h30-18h; sáb., 9h30-13h45; museu e Chapter House: diariamente, 10h30-16h; Cloisters (claustros): diariamente, 8h-18h; (entrada paga). A abadia medieval neste local foi concluída e consagrada em 1065, apenas uma semana antes da morte de Eduardo, o Confessor. Ele, assim como outros monarcas, foi enterrado aqui. Subseqüentemente, o rei Harold e William, o Conquistador, foram coroados no trono St. Edward's Chair – como a maior parte dos monarcas desde então.

Acima, da esquerda para a direita: estátua de Oliver Cromwell; a suntuosa Câmara dos Lordes.

Primeira Assembléia das Nações Unidas
A oeste da Parliament Square fica o domo do Westminster Central Hall. Na parte sul do Hall, há um bom restaurante para o almoço, veja ❶ ②.

Onde comer

② **CINNAMON CLUB**
30-32 Great Smith Street; tel.: 020-7222 2555; 2ª-6ª., café-da-manhã, almoço e jantar; sáb., almoço e jantar; £££-££££
Apesar de originalmente ter sido uma biblioteca, a Old Westminster Library, o lugar hoje mais parece um clube colonial. Especializado em culinária indiana sofisticada, os pratos são criativos e gostosos, e os vinhos complementam a comida apimentada.

Big Ben

Ao norte do Palácio de Westminster fica a Clock Tower, torre do famoso Big Ben, que mede 96 m. Foi o último projeto de Pugin, antes de seu declínio mental e de sua morte. A torre abriga cinco sinos que, de 15 em 15 minutos, repicam, fazendo soar a música de Westminster. O maior deles, o Big Ben, soa de hora em hora e é o terceiro maior sino da Inglaterra, pesando 13,76 toneladas. O nome "Big Ben" refere-se, de fato, a este sino, mas é comumente usado para se referir à torre inteira. O imenso relógio (o diâmetro de suas faces mede 7 m) é famoso por sua precisão. É acertado com uma pequena pilha de antigas moedas de um pence, que é colocada em seu pêndulo. As pessoas domiciliadas no Reino Unido podem conseguir permissão para escalá-lo – encaminhe a sua solicitação ao seu Membro do Parlamento ou a um lorde. Há uma réplica do Big Ben numa ilha de proteção para pedestres próxima à estação de Victoria que mede 6 m e é conhecida como Little Ben.

Acima, da extrema esquerda para a direita: a Abadia de Westminster; membro do Life Guards; soldado britânico aposentado, no St. James's Park, na primavera; portão de entrada do Green Park, no Mall.

As Sepulturas dos Grandes
A Abadia de Westminster, desde os seus primórdios, não só foi o cemitério de reis, como também de aristocratas e monges, entre eles: Geoffrey Chaucer, ao qual se uniram, ao longo dos séculos, suas almas gêmeas (Lorde Tennyson, Thomas Hardy etc.), formando-se o Canto dos Poetas (Poet's Corner). Esta prática foi estendida a outros, incluindo políticos (Pitt, Gladstone, Attlee etc.), compositores (entre eles, Purcell e Handel) e cientistas (Newton, Darwin e outros).

Henrique III reconstruiu a abadia no séc. XIII, e, do original, só restam a sala Pyx (a tesouraria real) e a cripta. A capela de Henrique VII com seu teto abobadado em forma de leques foi adicionada entre 1503 e 1512, e, em 1745, o arquiteto Nicholas Hawksmoor construiu as torres a oeste.

Entre as diversas relíquias e monumentos da igreja (*veja à esquerda*), encontra-se a sepultura de Eduardo, o Confessor, redescoberta em 2005 sob o piso de mosaicos em frente ao altar. Vale a pena visitar também a Chapter House, com seu belíssimo piso de azulejos, que data do séc. XIII, e, mais adiante, o Little Cloister e o College Garden.

St. Margaret's

Ao lado fica **St. Margaret's** ❾ (tel.: 020-7654 4840; 2ª-sáb., 9h30-15h45; sáb., 9h30-13h45; dom., 14h-17h; grátis), a igreja oficial da Câmara dos Comuns. No interior da casa, a belíssima janela no lado leste (de 1526) comemora o casamento de Henrique VIII com Catarina de Aragão; a janela no lado oeste (de 1888) é um tributo a *sir* Walter Raleigh (1552-1618), que foi executado próximo dali, por traição, e sepultado na capela-mor.

Cabinet War Rooms

Saindo de Parliament Square, pegue a Great George Street, que o levará à borda do James's Park. Vire à direita e encontrará, na esquina da King Charles Street, os **Cabinet War Rooms** ❿ (tel.: 020-7930 6961; <cwr.iwm.org.uk>; diariamente, 9h30-18h; entrada paga), sede subterrânea e secreta de Churchill na II Guerra Mundial, onde eram planejadas as operações bélicas.

Pouco mudou desde que foram fechadas, em 16 de agosto de 1945; todos os livros, mapas, gráficos e tachas permanecem em seus lugares originais, assim como o microfone da BBC usado por Churchill para fazer suas famosas transmissões durante a guerra. Há inclusive um equipamento de telefonia disfarçado como um toalete; o sistema telefônico permitia ao primeiro-ministro ter linha direta com a Casa Branca. O local também abriga o Churchill Museum, onde são exibidos objetos de uso pessoal do grande estadista.

ST. JAMES'S PARK

Agora faça uma caminhada dentro do **St. James's Park** ⓫ (tel.: 020-7298 2000; <www.royalparks.org.uk>; diariamente, 5h-0h00; grátis). Henrique VIII criou este parque drenando um pântano; Carlos II decorou-o em estilo francês, criando um canal em linha reta; e George IV, juntamente com o arquiteto John Nash, projetou uma curva no lago e construiu ali uma ilha, bem como uma ponte, da qual se tem uma das mais belas vistas de Londres. Hoje o parque é o local preferido para almoço dos funcionários das repartições governamentais próximas – e se você também estiver faminto, considere almoçar no **Inn the Park**, ver ⓫③.

THE MALL

Saindo do parque em seu perímetro norte, você dará no asfalto avermelhado do The Mall, avenida processional que vai desde o **Admiralty Arch** (projetado por Aston Webb em 1912) até o **Queen Victoria Memorial**

(1911), em frente ao Palácio de Buckingham. A avenida foi originalmente construída por Carlos II, que queria um novo campo (seu campo preferido, Pall Mall, tornara-se muito concorrido) para jogar *pallemaille* – jogo muito popular na época, que envolvia bater numa bola para fazê-la atravessar um arco no final de uma longa aléia.

Carlton House Terrace

Praticamente no lado oposto à junção da Horse Guards Road com o The Mall, há uma grandiosa escadaria que leva a **Carlton House Terrace** ⑫, projeto do arquiteto John Nash. O conjunto de prédios que forma este complexo foi concluído em 1835, tendo sido construído no local da recém-demolida mansão do príncipe regente (subseqüentemente, George IV; *ver p. 46*), o qual decidira se mudar para uma renovada Buckingham House (atual "Palácio de Buckingham").

ICA

O **Institute of Contemporary Arts** ⑬ (tel.: 020-7930-3647; <www.ica.org.uk>; diariamente, do meio-dia até tarde; entrada paga), ou ICA, como costuma ser chamado este centro de arte contemporânea, fica localizado no Mall, escondido sob o Carlton House Terrace, e abriga uma galeria, um cinema, um restaurante-bar (veja 🍴④) e uma livraria. Foi criado em 1948 pelo crítico de arte Herbert Read.

Palácio de St. James

Descendo o The Mall em direção ao Palácio de Buckingham, você verá, à sua direita, o muro da **Marlborough House**, mansão construída por Christopher Wren entre 1709 e 1711 e residência da rainha-mãe, avó da atual rainha, até a sua morte em 1953. Na rua adjacente, Marlborough Road, encontra-se a Queen's Chapel, projetada por Inigo Jones; tem-se a oportunidade de conhecer seu interior durante as missas dominicais, realizadas desde a Páscoa até julho.

Em seguida, à sua direita, encontra-se o **St. James's Palace** ⑭ (fechado ao público), uma construção em tijolos, em forma de castelo, encomendada por Henrique VIII, mas que só veio a ser a residência oficial do monarca a partir de 1698, quando o Palácio de Whitehall foi destruído por um incêndio. Nele, Maria I faleceu, Elizabeth I aguardou a partida da Armada Espanhola do Canal da Mancha e Carlos I passou sua última noite, antes de ser executado. Hoje é o centro administrativo da monarquia.

Associada a esse complexo palacial está a **Clarence House** (acesso pelo Mall; tel.: 020-7766 7303; somente visitas guiadas, diariamente em agosto e setembro, 10h-17h30; entrada paga),

Guards Museum

No perímetro sul do St. James's Park fica Birdcage Walk, uma ruela onde James I mantinha seu aviário. Hoje, encontra-se aí o Guards Museum (tel.: 020-7414 3428; diariamente, 10h-16h; entrada paga), na Wellington Barracks. No museu, é mostrada a história dos cinco regimentos de sentinelas do Exército Britânico, seus uniformes, bem como suas pinturas e medalhas, e é permitido aos visitantes experimentar o casquete de pêlo de urso usado pelas sentinelas. Vendem-se soldados de brinquedo na loja do museu.

Onde comer 🍴

③ INN THE PARK
Parte nordeste do St. James's Park; tel.: 020-7451 9999; diariamente, café-da-manhã, almoço e jantar; área com *self-service*: £-££; restaurante formal: £££-££££
Café-da-manhã: *kedgeree* (espécie de risoto de bacalhau defumado) ou café-da-manhã completo; almoço: linguado grelhado; chá da tarde: pãezinhos com creme e geléia (quando os pelicanos são alimentados do lado de fora, às 15h); jantar: costeletas de carneiro. Há também um bufê *self-service*. Decoração do interior por Tom Dixon. O serviço às vezes é lento.

④ ICA BAR
12 Carlton House Terrace (entrada por The Mall); tel.: 020-7930 0493; diariamente, almoço e jantar; ££
O bar é freqüentado por artistas e muito animado. Serve comida até tarde, que inclui bons hambúrgueres, *enchiladas* (panquecas de milho mexicanas) e saladas.

Acima, da esquerda para a direita: a troca da guarda na frente do Palácio de Buckingham; o quadro *Venus and Mars* (c. 1485), de Botticelli, um dos destaques da National Gallery.

As cocheiras da rainha
Visite as cocheiras da rainha (Royal Mews), na Buckingham Palace Road (de meados de mar.-out.; sáb-5ª, 11h-16h, ago.-set., 11h-17h; entrada paga), para ver os cavalos e as carruagens da rainha, bem como os carros usados por ela em coroações, visitas oficiais, casamentos e outros eventos. Veja a carruagem usada em coroações, construída para George III em 1762, visite as estrebarias e admire a indumentária luxuosa dos lacaios.

onde hoje residem o príncipe Charles e seus filhos, William e Harry. Foi residência da rainha-mãe (1953-2002), mãe da atual rainha, cuja coleção de arte e *memorabilia* familiar ainda se encontram lá.

PALÁCIO DE BUCKINGHAM

Agora siga até o pátio de acesso ao **Buckingham Palace** ⓯ (tel.: 020-7766 7300; <www.royalcollection.org.uk>; os State Rooms (aposentos usados para banquetes, recepções e cerimônias oficiais) abrem somente em agosto e setembro, 9h45-18h, última entrada às 15h45; evite as filas comprando ingressos antecipadamente pela internet; entrada paga). Originalmente a casa de campo do duque de Buckingham (daí seu nome), a mansão foi comprada em 1761 por George III para sua mulher, a rainha Charlotte. George IV subiu ao trono em 1820 e transformou-a num palácio, projetado pelo arquiteto John Nash. Entretanto, em 1829, os custos já somavam 500 mil libras, e Nash foi substituído por Edward Blore, que concluiu a obra.

O primeiro monarca a residir no palácio foi a rainha Vitória, em 1837.

A troca da guarda é realizada na frente do palácio diariamente, como ocorre no Horse Guards (maio-jul.: diariamente, às 11h30; ago-ab.: em dias alternados, às 11h30 – para mais detalhes, acesse o site; grátis). A cerimônia é acompanhada pela banda da Guarda e dura 40 minutos.

State Rooms
O palácio possui 775 aposentos, incluindo 52 quartos para a família real e seus hóspedes, 188 quartos para os funcionários e 78 banheiros. No verão, período em que a rainha passa no Castelo de Balmoral, na Escócia, os State Rooms são abertos ao público. O suntuoso interior do palácio contém quadros de Rembrandt, Vermeer, Poussin e Canaletto, assim como belas esculturas e mobiliário.

Queen's Gallery
Mais adiante na Buckingham Palace Road, partindo-se da entrada para os State Rooms, fica a **Queen's Gallery** (tel.: 020-7766 7301; diariamente, 10h-17h30; entrada paga), onde são exibidas seleções da coleção de arte da família real, incluindo inúmeros retratos de membros da realeza (especialmente por Holbein e Van Dyck), quadros de Rembrandt, Rubens e Canaletto, e desenhos de Leonardo, Holbein, Raphael, Michelangelo e Poussin.

A estação de metrô mais próxima é Victoria Station, que fica a sudoeste da Buckingham Palace Road. Para ir ao **The Vincent Rooms**, veja 🍴⑤, pegue a rua Buckingham Gate e desça até a Rochester Road, passando por Artillery Row.

Onde comer
⑤ THE VINCENT ROOMS
Westminster Kingsway College, Vincent Square; tel.: 020-7802 8391; 2ª-6ª., almoço, 12h-13h15; 3ª-5ª., jantar, 18h-19h15; fechado de jul. a set., 2 semanas em abr. e 2 semanas em dez-jan; ££–£££
A principal instituição de ensino de culinária da Grã-Bretanha (foi onde Jamie Oliver estudou), aqui são servidos os pratos preparados nas aulas de cada dia. Ingredientes de primeira qualidade, execução geralmente fantástica, ambiente agradável e preços acessíveis.

OS MUSEUS NACIONAIS

Num prédio neoclássico com vista para a Trafalgar Square e cujo domo tem o formato de uma "pimenteira", acha-se uma das melhores coleções de arte do mundo, que inclui cerca de 2.300 obras-primas de meados do séc. XIII a 1900. Ao lado, fica a National Portrait Gallery, que abriga a coleção nacional de retratos.

Este trajeto abrange duas das principais galerias de arte de Londres e permite que se conheça em detalhe suas coleções. O itinerário pode ser combinado com o itinerário 1 (*ver p. 24*), que se inicia em Trafalgar Square.

NATIONAL GALLERY

A **National Gallery** ❶ (tel.: 020-7747 2885; diariamente, 10h-18h, 4ª até 21h; grátis) foi fundada em 1824, quando o governo britânico adquiriu de um colecionador particular, por 57 mil libras, 38 quadros e os exibiu na casa do falecido banqueiro John Julius Angerstein, no n. 100 do Pall Mall. Este começo modesto era um grande contraste com os palácios que abrigavam o Museu do Louvre, em Paris, e o Museu do Prado, em Madri.

A mudança para Trafalgar Square
Rapidamente surgiu a necessidade de um local mais adequado para abrigar a crescente coleção. A solução foi construir um edifício, projetado por William Wilkins.

Inaugurado em 1834 na recém-criada Trafalgar Square, o estabelecimento foi criticado desde o início como sendo inadequado, e as ampliações feitas desde então pouco contribuíram para solucionar suas deficiências.

DISTÂNCIA 0,25 km, sem incluir a distância a ser coberta dentro das galerias
DURAÇÃO Metade de um dia
INÍCIO National Gallery
FIM National Portrait Gallery
OBSERVAÇÕES
Nos horários de pico, estas galerias podem ficar muito cheias. Os melhores períodos para visita são as manhãs de domingo e a última hora de funcionamento nos dias em que elas fecham mais tarde; no verão, nos finais de semana muito quentes, o movimento também cai bastante. Este itinerário pode ser facilmente combinado com o itinerário 1.

Ala Sainsbury
Em 1991, foi construída uma importante extensão, a Sainsbury Wing, para prover o museu de uma infra-estrutura melhor e muito necessária: novas galerias, auditório para palestras, restaurante, loja, bem como uma área para mostras temporárias. Foi projetada pelo arquiteto americano Robert Venturi, que procurou harmonizá-la com o resto da edificação e, ao mesmo tempo, fazê-la contrastar com o estilo clássico original. Uma proposta anterior mais vanguardista foi descartada depois da famosa crítica do príncipe Charles, que a qualificou de "uma monstruosa espinha na face de um amigo muito próximo e elegante".

Acima: logo e brasão real nas grades da National Portrait Gallery.

Segunda Guerra Mundial
Ao ser deflagrada a guerra, em 1939, o acervo da National Gallery foi escondido em Manod Quarry, no norte do País de Gales, por ordem do primeiro-ministro Winston Churchill: "Enterrem-no, seja em cavernas ou em adegas, mas nenhum dos quadros deverá sair destas ilhas".

MAPA NA P. 32 • OS MUSEUS NACIONAIS

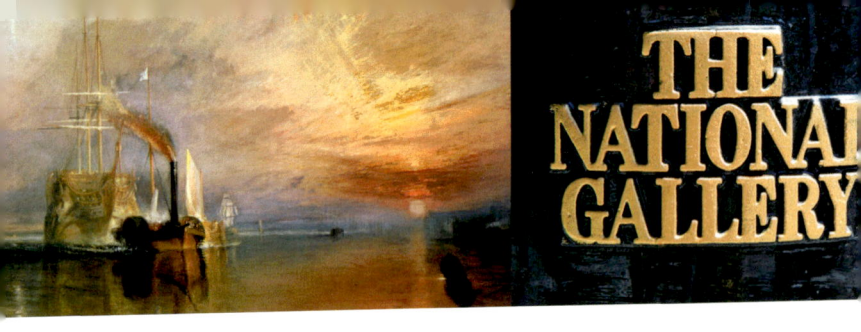

Ataques em obras de arte

Em 1914, na luta pelo sufrágio feminino, uma ativista rasgou o quadro *Rokeby Venus,* de Velázquez, com uma faca, em protesto à prisão de Emmeline Pankhurst. Mais tarde, uma outra sufragista atacou cinco quadros de Bellini, e a galeria foi fechada até o início da Primeira Guerra, quando o sindicato social e político das mulheres pediu um fim aos protestos.

Abaixo: *Rokeby Venus*, de Velázquez.

Passeio da Coleção

A coleção da National Gallery é organizada cronologicamente, indo do séc. XIII ao final do séc. XIX, ao longo de quatro alas, começando pela Ala Sainsbury, que contém obras do séc. XIII ao séc. XV. Iniciar a visita por esta ala significa resistir à tentação de entrar na galeria por sua grandiosa entrada principal (onde há uma escadaria magnífica que lhe dá a opção de ir a três direções), mas faz sentido em termos da cronologia.

Os destaques nesta ala incluem obras medievais e do início da Renascença, entre elas: *The Arnolfini Portrait* (1434), de Van Eyck; *The Baptism of Christ* (anos 1450), de Piero della Francesca; e *Wilton Diptych* (1395-1399), obra primorosa por artista desconhecido.

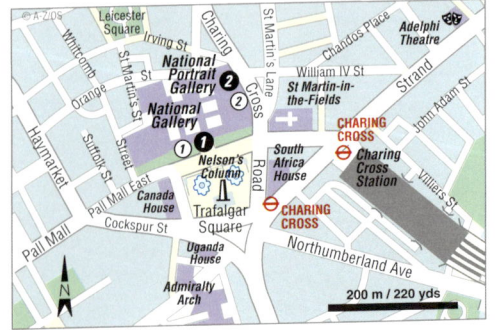

Renaissance Galleries

Partindo da Ala Sainsbury, siga para o prédio principal, onde ficam a Ala Oeste (*West Wing*) e a coleção de obras renascentistas (nas *Renaissance Galleries*). Nas salas 2 a 12, encontram-se obras-primas como *The Madonna of the Pinks* (1506-1507), de Raphael, recentemente adquirida por 22 milhões de libras; *The Virgin of the Rocks* (1491-1508), de Leonardo da Vinci; e *The Ambassadors* (1533), de Holbein, retratando um crânio – deformado, quando visto de frente, mas misteriosamente corrigido, se visto de lado.

Ala Norte

O acesso à North Wing, que abriga quadros de 1600 a 1700, pode ser feito pelas salas 9 ou 14 (na Ala Oeste). Aqui você encontrará obras de Caravaggio e Rubens, auto-retratos de Rembrandt e pinturas eqüestres de Van Dyck. Vale a pena ver o enigmático e tranqüilo quadro de Vermeer intitulado *A Young Woman Standing at a Virginal* (c. 1670-1672) e o mais exuberante *Rokeby Venus* (1647-1651), de Velázques, o único nu artístico do pintor espanhol que sobreviveu.

Ala Leste

Na East Wing, encontram-se pinturas de 1700 ao início da era moderna. Começando com os retratos aristocráticos de Gainsborough e as remotas áreas rurais nas paisagens de John Constable (inclusive *The Hay Wain*, de 1821), em algumas salas adiante há inovações óticas de Seurat em *Bathers at Asnières* (1884), com as cores vibrantes e as emoções violentas retratadas em *Sunflowers* (1888), de Van Gogh, e com nuances de cubismo em *Bathers* (c. 1894-1905), de Cézanne.

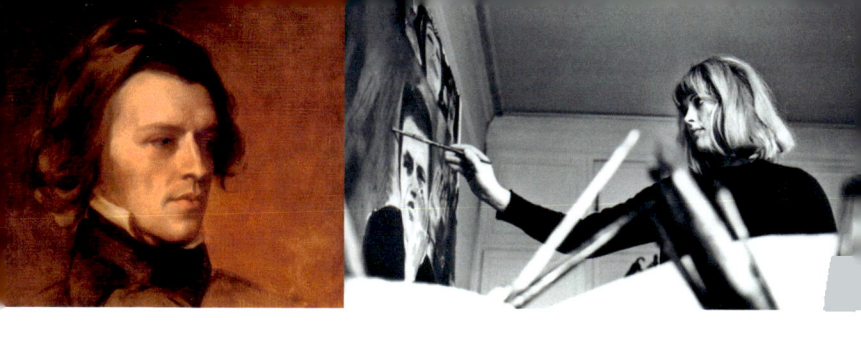

Depois disso tudo, você poderá se refazer no excelente café do museu, que fica imediatamente abaixo, no Level 0, ver 🍴①.

NATIONAL PORTRAIT GALLERY

Atrás da National Gallery, a noroeste, em St. Martin's Place, está a **National Portrait Gallery** ❷ (tel.: 020-7306 0055; diariamente, 10h-18h, 5ª-6ª até as 21h; grátis, exceto em exposições especiais), onde você verá inúmeros retratos de britânicos famosos.

Histórico
Em 1856, foi fundada uma galeria de retratos históricos britânicos, iniciativa do 5º conde de Stanhope. Como não existia uma coleção propriamente dita, a galeria dependia de presentes e doações, a primeira das quais foi um retrato de William Shakespeare (c. 1610), atribuída a John Taylor e comprovadamente o único retrato do mais famoso dramaturgo britânico feito em vida.

Desde o início, as adições ao acervo (que inicialmente consistiam de pinturas, desenhos e esculturas, sendo mais tarde adicionados os retratos) eram escolhidas pelo *status* da pessoa retratada e a importância histórica do retrato, e não por sua qualidade como obra de arte; tais critérios ainda prevalecem. Até 1968, não eram admitidos retratos de pessoas vivas, quando foi mudada a política para encorajar artistas jovens, bem como uma abordagem mais atual desse gênero de arte.

O acervo
As elegantes galerias exibem, em ordem cronológica, retratos de figuras ilustres britânicas do passado e da atualidade, começando no segundo andar (ao qual se tem acesso pela enorme escada rolante no saguão) e terminando no andar térreo. Há subdivisões temáticas dentro de cada período: os Tudors e retratos dos séculos XVII e XVIII no segundo piso; os Vitorianos e retratos do século XX (até 1990) no primeiro piso; e, no andar térreo, os populares retratos britânicos desde 1990, além de excelentes exposições temporárias.

Os destaques incluem auto-retratos de Hogarth e Reynolds, o retrato pintado por Patrick Branwell Brontë de suas irmãs literatas Charlotte, Emily e Anne e inúmeros retratos de membros da família real. As galerias que exibem retratos contemporâneos têm valor no sentido de que são registros de celebridades atuais para a posteridade.

Para descansar, siga para o terceiro piso, para tomar um drinque no elegante restaurante da galeria, ver 🍴②.

Acima, da extrema esquerda para a direita: *The Fighting Temeraire* (1839), de Turner, na National Gallery; letreiro da galeria; Alfred Tennyson (c.1840) por Samuel Laurence, na National Portrait Gallery; *Pauline Boty* (1963), de Michael Seymour, na exposição "British Pop and the 60s Art Scene", em 2008.

Abaixo: doces do National Café.

Onde comer

① THE NATIONAL CAFÉ
National Gallery, térreo; tel.: 020-7747 2525; café-da-manhã, almoço e jantar: 2ª-6ª, 8h-23h; sáb., 10h-23h; dom., 10h-18h; ££
Brasserie com serviço de garçom, bufê self-service e balcão de café. Excelente café-da-manhã: ovos *Benedict*, mingau, torradas etc. Experimente as batatas fritas vendidas em sacos, que são fritas e ensacadas por encomenda.

② PORTRAIT RESTAURANT
National Portrait Gallery, 3º piso; tel.: 020-7312 2490; sáb-4ª: restaurante, só almoço, bar 10h-17h; 5ª-6ª: restaurante, almoço e jantar (últimos pedidos: 20h30), bar 10h-22h; £££
Restaurante, salão e bar refinados, com belíssima vista da Trafalgar Square. Culinária britânica moderna.

COVENT GARDEN E SOHO

Covent Garden, antigo mercado de frutas e vegetais, atualmente uma nova meca de comércio, está situado a leste da Charing Cross Road. A oeste de Charing Cross, encontra-se o Soho, com muitos e excelentes restaurantes e pubs, bem como um florescente ponto gay, Chinatown, diversos cinemas e sex shops.

Nheconheco
No século XVIII, Covent Garden era um foco de prostituição. Cortesãs e cafetinas alugavam aposentos nos andares superiores de casas elegantes ao redor da praça, e os clientes dispunham inclusive de um catálogo com a lista de cortesãs (*List of Covent Garden Ladies*), escrito por Jack Harris e que vendeu mais de 250 mil exemplares.

DISTÂNCIA 3 km
DURAÇÃO Um dia inteiro
INÍCIO Estação de metrô Covent Garden
FIM Leicester Square
OBSERVAÇÕES
Muitas lojas no centro de Londres permanecem abertas até tarde às quintas-feiras (em geral até cerca das 20h), assim, talvez seja uma boa idéia fazer nesse horário a metade do trajeto que cobre Covent Garden, pois há inúmeras lojas nesta área.

A primeira metade do passeio é feita através do bairro de Covent Garden, que adquiriu esse nome no reinado do rei João (1199-1216), por ser o local da horta da Abadia de Westminster (ou "Convent"), e se tornou um grande centro produtor de frutas e vegetais nos três séculos seguintes.

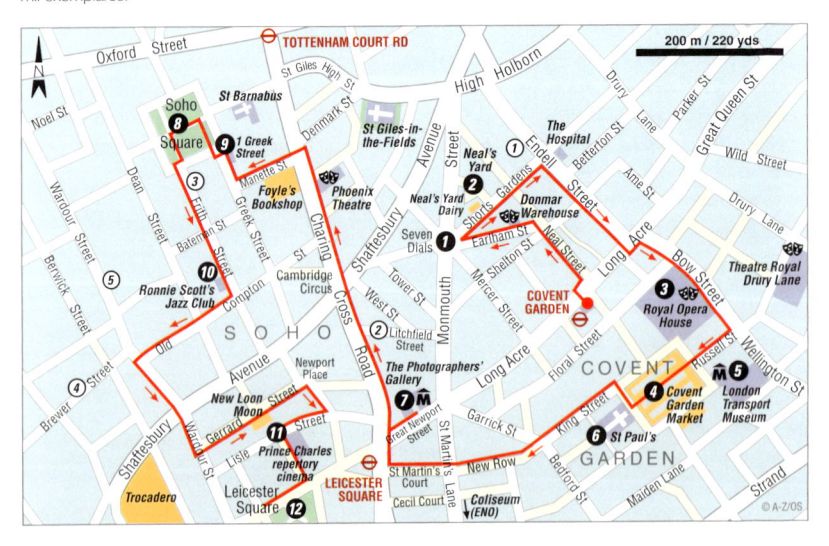

Contudo, em 1540, Henrique VIII dissolveu os monastérios do país, apropriou-se de suas terras e fundou a Igreja Anglicana, tornando-se seu chefe supremo, e a qual seria mais flexível às suas freqüentes trocas de esposas. Henrique doou Covent Garden ao barão Russell, que, mais tarde, veio a ser o primeiro conde de Bedford.

No início do séc. XVII, o quarto conde de Bedford designou Inigo Jones para desenvolver a área, criando uma boa parte das ruas que hoje se vê, bem como sua praça, suas colunatas e sua igreja. Pouco tempo depois, florescia lá um mercado de frutas e vegetais que veio a se tornar o mais importante do país nos 250 anos subseqüentes.

Na década de 1970, entretanto, o excessivo congestionamento no centro de Londres levou o mercado a ser transferido para o sul do rio Tâmisa. A década de 1980 viu o bairro renascer como um centro turístico-comercial-gastronômico. Atualmente, a área também é conhecida por seu comércio, seus bares e casas noturnas, e por seus excêntricos artistas de rua.

COVENT GARDEN

Ao sair da estação de metrô Covent Garden, pegue à direita na direção da Long Acre e suas cadeias de lojas, e, logo depois, à esquerda, na Neal Street, onde se encontram lojas de moda alternativa, uma após a outra. Aqui, você poderá comprar roupas de grife para o dia-a-dia, sapatos casuais, cestas, pipas, chás chineses, sofisticados artigos de toalete, bolsas, joias e a última moda em tênis.

Vire à esquerda na Earlham Street, onde, no n. 41, à direita, encontra-se o **Donmar Warehouse** (tel.: para reservas: 0870 060 6624; <www.donmar-warehouse.com>), um dos mais inovadores teatros de Londres. Continue pela Earlham Street até a pequena rotatória conhecida como **Seven Dials** ❶,

por ser a junção de sete ruas, e vire à direita na direção de Shorts Gardens. Na altura dos n. 21-23, atente para um excêntrico relógio movido a água, situado acima da janela de uma loja de produtos naturais. Menos saudável, mas excelente, é a queijaria Neal's Yard, no n. 17; a loja marca a entrada (à esquerda) para o **Neal's Yard** ❷, que se tornou um centro de produtos naturais – um triângulo de lojas onde se vendem todos os tipos de comidas naturais e se oferecem tratamentos holísticos restauradores.

Continue subindo a Shorts Gardens, cruze a Neal Street de novo e vire à direita na Endell Street. Ali perto, você poderá comer algumas antigas especialidades britânicas no aclamado **Rock & Sole Plaice**, ver 🍴①. Mais abaixo na Endell Street, no n. 24, à esquerda, encontra-se o **The Hospital**, uma galeria de arte muito decorada e um clube privado criado por Dave Stewart, do grupo de música pop Eurythmics, e por Paul Allen, da Microsoft.

Royal Opera House

Cruzando a Long Acre de novo, você chega a Bow Street, onde ficam os "Bow Street Runners", predecessores da Polícia, e o antigo Tribunal de Justiça, onde

> **Onde comer** 🍴
> ① **ROCK & SOLE PLAICE**
> 47 Endell Street, Covent Garden; tel.: 020-7836 3785; diariamente, 11h30-23h30, dom. até 22h; £
> O mais antigo estabelecimento de *fish and chip* (peixe com batatas fritas), fundado em 1871. Serve-se peixe pescado no dia (às vezes, até salmonete ou linguado). Sente-se do lado de dentro ou ao ar livre e, se desejar, leve o seu próprio vinho.

Acima, a partir da extrema esquerda: interior do mercado de Covent Garden; bailarinas em ação na Royal Opera House.

Teatro Mal-Assombrado
Desça a Bow Street, vire à esquerda na Russell Street e você verá, à sua direita, o Theatre Royal Drury Lane. Vulnerável a incêndios, como a Opera House ali perto, é o quarto teatro construído neste local desde 1603. Este teatro mal-assombrado em estilo georgiano já acolheu grandes nomes: David Garrick, Sheridan, Kean, Sarah Siddons e Nell Gwynn, a menina que vendia laranjas nas noites de estréia mais tarde se tornou atriz e, por fim, conquistou o amor do rei Carlos II.

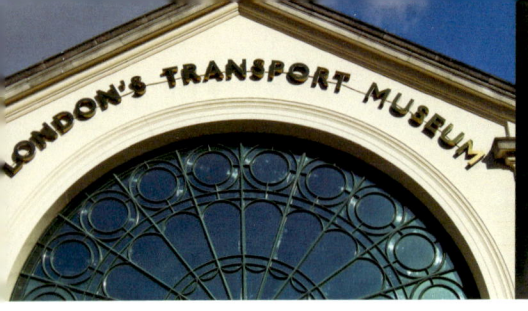

Acima, da extrema esquerda para a direita: Museu do Transporte; sandália na Paul Smith; o mercado; livraria na Charing Cross Road.

Caça de Talentos
Em *My Fair Lady*, o professor Higgins está esperando um táxi, quando descobre Eliza Doolittle vendendo flores no mercado de Covent Garden. Foi aqui também que Naomi Campbell, aos 15 anos, foi avistada por um olheiro.

Abaixo: o interior do mercado; loja de brinquedos.

Oscar Wilde foi condenado em 1895 por praticar "atos obscenos". Do outro lado da rua, você verá a **Royal Opera House** ❸ (Bow Street; tel.: 020-7304 4000; <www.royaloperahouse.org>; grátis para o Floral Hall, e cobrada para a visita aos bastidores). O teatro, atual sede do Royal Opera e do Royal Ballet, foi fundado em 1728 com os lucros da "Ópera do Mendigo", de John Gay. Desde então, ele já teve altos e baixos, que incluem estréias das óperas de Handel até ser duas vezes completamente destruído por incêndios. Após a restauração na década de 1990, ele hoje está em alta, e, além das apresentações, pode-se almoçar, beberícar no bar, ver exposições e apreciar a vista de Londres a partir do magnífico Floral Hall.

Mercado de Covent Garden
Circundando a Opera House pela Russell Street, você chega ao **Covent Garden Market** ❹. O local, que originalmente abrigava os jardins da Abadia de Westminster, tornou-se possessão dos condes de Bedford, que designaram Inigo Jones para planejar uma nova área residencial na década de 1630. Como na elegante rua Rivoli, em Paris, foram construídas casas em cima das arcadas que dão de frente para a praça e, não muito tempo depois, foi criado aqui um mercado de frutas e vegetais, que funcionou até 1974, quando foi transferido para Nine Elms, na margem sul do Tâmisa, perto de Vauxhall.

Parte coberta do mercado
O prédio do mercado foi reprojetado por Charles Fowler em 1830. Na ala norte, fica o Apple Market, que abriga estandes de antiquários, às segundas-feiras, e de artesanatos, de terça a domingo. Em torno dele, há lojas especializadas, como a Pollock's, onde se vendem teatros de brinquedo antigos, entre outras coisas. O *pub* Punch & Judy, situado perto, serve como lembrança de que o espetáculo de marionetes Punch and Judy estreou aqui em 1662, conforme testemunhado pelo cronista Samuel Pepys.

London Transport Museum
Na esquina a sudeste da praça, encontra-se o **London Transport Museum** ❺ (tel.: 020-7565 7298; <www.ltmuseum.co.uk>; sáb.-5ª, 10h-18h; 6ª, 11h-21h; entrada paga). Recentemente ampliado e reinaugurado, o museu cobre todos os aspectos dos transportes e tráfego londrinos, desde veículos e

uniformes até sinalizações e cartazes. Atente para a locomotiva a vapor classe A que rebocou os trens de passageiros na primeira linha de metrô de Londres, desde 1866 até a eletrificação em 1905.

St. Paul's Church
No lado ocidental da praça, está a igreja **St. Paul's** ❻ (tel.: 020-7836 5221; <www.actorschurch.org>; 2ª-6ª, 8h30-17h30; dom., 9h-13h; grátis). Em 1631, o conde de Bedford delegou a Inigo Jones a construção da igreja, cujo orçamento era aparentemente bem apertado.

Atualmente conhecida como '"Actors' Church" [Igreja dos atores], por sua associação com os diversos teatros do bairro, ela contém memoriais a Charles Chaplin, Noel Coward, Vivien Leigh e Gracie Fields.

CHARING CROSS ROAD

Desça a King Street pelo lado direito da igreja vista de frente e, no cruzamento, mantenha-se na rua de pedestres chamada New Row. Quando você alcançar a St. Martin's Lane (onde fica a English National Opera, *ver à direita*), atravesse-a e desça a St. Martin's Court até encontrar a Charing Cross Road, à direita.

Esta rua, ligando Trafalgar Square à Tottenham Court Road, é o recanto tradicional das livrarias. Muitas delas foram forçadas a se mudar devido aos altos aluguéis, mas algumas permanecem, inclusive com diversas especializadas em livros antigos. Ande também pela Cecil Court, a próxima ruela de pedestres ao sul de St. Martin's Court, onde você pode encontrar gravuras de Hogarth, mapas de bolso de Londres da época vitoriana, antigos cartazes de teatro, primeiras edições de livros e pautas de música.

Galeria dos Fotógrafos
Ao subir a Charing Cross Road, você verá à sua direita (logo depois do *pub* The Porcupine) a Great Newport Street. Aqui, numa casa que pertenceu a Joshua Reynolds, fica **The Photographers' Gallery** ❼ (tel.: 020-7831 1772; <www.photonet.org.uk>; 2ª-sáb., 11h-18h; 5ª até 20h; dom., 12h-18h; grátis). Há um café no térreo, com mesas de cavaletes e bolos caseiros deliciosos, e, no andar de cima, você poderá comprar gravuras de edição limitada de Lartigue, Lee Miller ou George Rodger. As exposições temporárias acontecem ali do lado.

Continue a Charing Cross Road e verá, à sua direita, a Litchfield Street, onde está situado o **Le Beaujolais**, ver ⑪②. Mais adiante, depois de Cambridge Circus, à esquerda, está a livraria **Foyle's** (que já foi a maior do mundo). Logo em seguida, verá a Manette Street, assim chamada em homenagem ao doutor Manette, personagem de Charles Dickens em *Um conto de duas cidades*, e uma introdução apropriada ao Soho, onde muitos emigrantes franceses se assentaram depois da Revolução.

Onde comer
② **LE BEAUJOLAIS**
25 Litchfield Street; tel.: 020-7836 2955; dom.-6ª, almoço e jantar; sáb., somente jantar; ££
Barulhento, apertado e caótico, mas simpático, divertido e descontraído, este bar oferece o cardápio típico de um bistrô francês (e opções vegetarianas) ao som de blues e jazz.

ENO
No extremo sul da St. Martin's Lane está o Coliseum, que abriga a English National Opera (ENO; St. Martin's Lane; tel.: 0870 145 0200; <www.eno.org>). Enquanto as óperas na Royal Opera House (Covent Garden) são cantadas na língua vernácula, na ENO elas são geralmente em inglês. Os ingressos são mais baratos do que os de Covent Garden e podem ser adquiridos na noite da apresentação.

Denmark Street
Do outro lado da Charing Cross Road, na altura da Manette Street, fica o Tin Pan Alley britânico, onde, nos anos 1950 e 1960, se concentravam as editoras de música. Os Beatles e Jimi Hendrix fizeram gravações aqui, Elton John escreveu *Your Song*, e o grupo Sex Pistols morou no n. 6. Hoje, a rua é ladeada de lojas de música.

Acima, a partir da extrema esquerda: num dos muitos restaurantes de Chinatown; dim sum; há muitas lojas de lingerie em Covent Garden e Soho; Old Compton Street, o centro da comunidade *gay* londrina.

Grito dos Caçadores
Acredita-se que o nome Soho deriva do grito dos caçadores para açular os cães ("So-hoe!") – um legado dos tempos em que o Soho era um campo de caça.

SOHO

Fronteiriço com a Regent Street, a Charing Cross Road, a Oxford Street e a Leicester Square, o Soho encarna os mitos tanto da "Swinging London" ('A Badalada Londres') dos anos 1960 como os de sua versão mais recente, a "Cool Britannia" ('Grã-Bretanha Legal'), dos anos 1990. Embora seu labirinto de ruelas talvez não reflita as promessas de cada um desses períodos áureos, há certamente uma vibração especial neste bairro, proporcionada pela presença de parte da comunidade GLS londrina e de jovens empresas de mídia.

Entretanto, até o séc. XVII, o Soho era uma área campestre usada para a caça. As primeiras ruas a serem criadas foram a Old Compton Street, a Gerrard Street, a Frith Street e a Greek Street, construídas na década de 1670 pelo pedreiro Richard Frith.

Hoje, estas ruas estão ladeadas de bares, restaurantes e boates, e o movimento é quase contínuo. Apesar de ser uma das áreas de maior vida noturna em Londres, o que se vê lá ainda é uma versão consideravelmente menos libertina do antigo Soho, embora ainda haja resquícios de uma zona de prostituição, escondida nas ruas mais calmas.

Soho Square e Greek Street

Retorne à Manette Street, pela qual você entrou no Soho, vire à direita na Greek Street e continue até a **Soho Square** ❽. A praça é compartilhada por uma estátua de Charles II e um poço de ventilação totalmente disfarçado numa casa com vigas de madeira. A maioria das casas ao redor da praça, todas elas do séc. XVIII, hoje pertencem a empresas de televisão, de relações públicas e de publicidade, mas a **n. 1 de Greek Street** ❾ (tel.: 020-7437 1894; 4ª, 14h30-16h; 5ª, 11h-12h30) foi preservada pela House of Charity. Mesmo se você não quiser entrar lá – ou se a casa estiver fechada –, a escadaria e as paredes em estilo rococó podem ser vistas através das janelas.

Frith Street

Da Soho Square, siga na direção sul, passando pela Frith Street. No n. 6, o crítico e ensaísta William Hazlitt (1778-1830) proferiu suas últimas palavras: "Bem, tive uma vida feliz", o que agradará aqueles que se hospedarem no hotel que hoje utiliza o edifício. Do outro lado da rua, encontra-se o **Arbutus**, ver ③, e mais adiante, na esquina da Bateman Street, o *pub* Dog and Duck, com seu exuberante interior vitoriano.

Mais abaixo, no n. 21, está a casa onde, em 1765, o público pagante ia assistir Mozart tocar (na época, com 9 anos de idade) e, com isso, reabastecer

---

Onde comer

③ ARBUTUS
63-4 Frith Street; tel.: 020-7734 4545; diariamente, almoço e jantar; jantares pré-teatro a partir de 17h; ££
Este premiado restaurante oferece um bom cardápio a preços ótimos, especialmente na hora do almoço. Todos os vinhos, mesmo os mais caros, são servidos a copo ou meia garrafa. A cozinha européia moderna é saborosa e criativa. É essencial reservar.

④ RANDALL & AUBIN
16 Brewer Street; tel.: 020-7287 4447; diariamente, almoço e jantar; ££
Homônimo à delicatéssen que existiu neste local por 90 anos, Randall & Aubin herdou o bulício típico de lojas comerciais. Pilhas de lagostas, caranguejos e ostras o saúdam na entrada.

⑤ BUSABA EATHAI
106-110 Wardour Street; tel.: 020-7255 8686; diariamente, almoço e jantar; £-££
Restaurante tailandês muito bem decorado, ambiente descontraído, devido, em parte, às mesas comunitárias. Comida tailandesa fresca a preços razoáveis, com boas opções vegetarianas.

os cofres de seu pai. Do outro lado da rua, no n. 18, você poderá testar as suas habilidades musicais no **Karaoke Box Dai Chan** (tel.: 020-7494 3878). Logo depois, no n. 22, está o **Bar Italia**, que, apesar de não sucumbir às tendências da moda em geral, é modernoso em seu horário de funcionamento, ficando aberto até tarde.

No lado oposto da rua, no n. 47, está o **Ronnie Scott's Jazz Club** ❿ (tel.: 020-7439 0747; <www.ronniescotts.co.uk>), onde Count Basie tocou, Ella Fitzgerald cantou e Jimi Hendrix fez a sua última apresentação.

Old Compton Street e redondezas
No final da Frith Street, dobre à direita na Old Compton Street, o foco da cena *gay* no Soho. Se desejar fazer uma parada para comer, siga até o fim da Old Compton Street, atravesse o cruzamento em direção à Brewer Street e ao **Randall & Aubin**, ver ❶/④, um restaurante de peixe muito alegre, em meio a *sex shops* e delicatéssen italianas.

Chinatown
De volta à Wardour Street, um pouco mais ao norte, encontra-se o popular e confiável **Busaba Eathai**, ver ❶/⑤, mas, se você descer a rua e cruzar a Shaftesbury Avenue, encontrará o **Wong Kei**, nos n. 41-43, um quase cômico restaurante chinês que ocupa vários andares de uma casa, é barato, mas os funcionários são ríspidos e a comida não é das melhores.

Em seguida, vire à esquerda na Gerrard Street, rua principal de Chinatown, o reduto chinês em Londres. No n. 9, encontra-se o supermercado chinês **New Loon Moon supermarket**, abrigado numa casa construída no séc. XVIII para ser um bordel. Do outro lado da rua, no n. 43, fica um outro, o **New Loon Fung supermarket**, numa casa onde residiu o poeta John Dryden (1631-1700).

Leicester Square
No final da Gerrard Street, vire à direita em Newport Place e, mais uma vez à direita, na Lisle Street. Na altura do **Prince Charles repertory cinema** ⓫ (tel.: 0870 811 2559; <www.princecharlescinema.com>), cinema bom e barato na Leicester Place, vire à esquerda para alcançar a **Leicester Square** ⓬. Nesta praça, cercada pelos maiores cinemas da cidade – onde são apresentadas premières de filmes –, termina o trajeto.

Conexão Francesa
No séc. XVII, começaram a chegar huguenotes ao Soho, como refugiados religiosos. Hoje ainda existe aqui uma igreja protestante francesa, nos n. 8-9 da Soho Square, enquanto a igreja católica francesa fica em Leicester Place. Construída nos anos 1950 (a anterior foi bombardeada em 1940), ela contém murais de Jean Cocteu e mosaicos de Boris Anrep.

Abaixo: lambretas retrô em Soho.

PICCADILLY E MAYFAIR

O coração do West End inclui ruas e avenidas grandiosas, igrejas magníficas e excelentes galerias de arte. Mas previna-se: tenha à mão seu cartão de crédito, pois no caminho irá passar por ruas onde se encontram as mais exclusivas lojas.

Casa do Drácula
No romance de 1897 de Bram Stoker, *Drácula*, o conde vampiro compra uma casa no n. 347 da rua Piccadilly. Infelizmente, a numeração das casas nesta rua não chega até esse número, e o endereço é meramente fictício.

DISTÂNCIA 3,5 km
DURAÇÃO Metade de um dia a um dia inteiro
INÍCIO Piccadilly Circus
FIM Oxford Street
OBSERVAÇÕES
Se você estiver interessado apenas nos pontos turísticos, este trajeto pode ser feito em metade de um dia. Mas, se você for um ávido consumista, esse tempo poderá se estender infinitamente para incluir compras além de turismo.

Não é à toa que Mayfair é a zona mais cara no jogo Banco Imobiliário com endereços londrinos. Essa é a área dos hotéis cinco estrelas, de *marchands*, *showrooms* da Bentley, gestores de fundos *hedge* e lojas de alta costura. Piccadilly estende-se de leste a oeste em seu lado sul (o elegante bairro de St. James's é mais ao sul), enquanto a Oxford Street, a principal rua comercial da capital, estende-se ao longo do limite norte. A oeste está Park Lane (a segunda zona mais cara no tabuleiro do Banco Imobiliário).

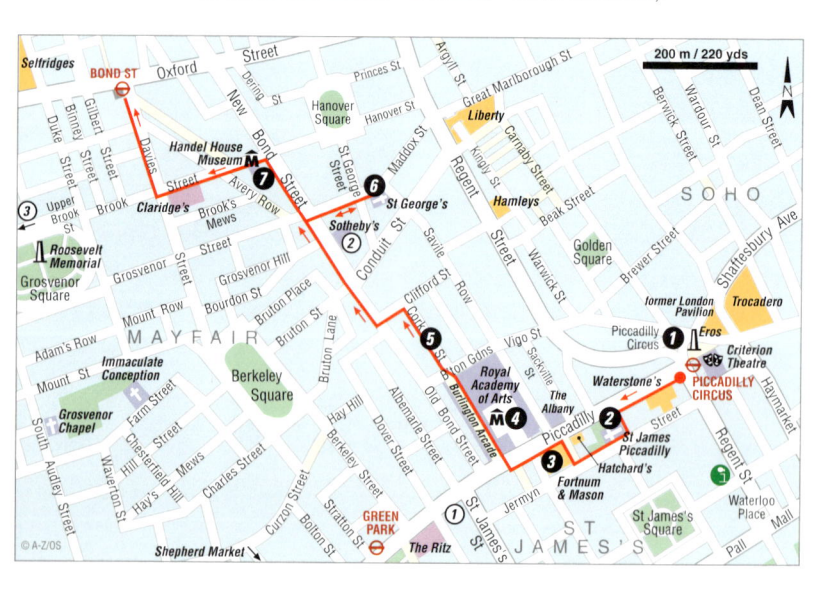

Regent Street

Formando o limite leste de Mayfair e estendendo-se para o norte a partir de Piccadilly Circus está a **Regent Street**, a primeira rua estritamente comercial da Grã-Bretanha. Projetada por John Nash e concluída em 1825, destinava-se a ligar a futura residência do rei George IV, Carlton House, em St. James's, ao Regent's Park; até hoje é propriedade da Coroa. Neste itinerário, aproveite para visitar a loja de brinquedos Hamley's, a Liberty & Co, loja de departamentos em estilo *art nouveau*, e a BBC Broadcasting House, que fica do outro lado da Oxford Street.

PICCADILLY CIRCUS

Ao sair da estação de metrô Piccadilly, você cai na movimentada **Piccadilly Circus** ❶, praça circular para onde convergem várias ruas, com as fachadas dos prédios cobertas por seus famosos anúncios em néon; foi aqui que, em 1910, apareceram os primeiros anúncios elétricos.

O edifício com pórticos no lado nordeste da praça, o **London Pavilion**, foi construído em 1859 para abrigar um teatro de variedades; infelizmente, hoje é um inexpressivo shopping center. No lado sul, fica o mais atraente **Criterion Theatre**, projetado por Thomas Verity e aberto em 1874. No final dos anos 1980, o teatro fechou para reformas, voltando a funcionar em 1992.

Eros

No centro da praça, há um chafariz encimado por uma estátua conhecida como **Eros**, criada em 1892-1893 em homenagem a lorde Shaftesbury, político vitoriano que lutou por melhores condições nas fábricas e nas minas de carvão, mais provisões na área de saúde mental e pelo bem-estar da criança. Apesar de seu nome, a estátua de alumínio de Alfred Gilbert, que personifica o amor altruístico, é de Anteros, irmão gêmeo de Eros.

PICCADILLY

Ao sair de Piccadilly Circus, percorra a Piccadilly. Acredita-se que o nome vem de "piccadill", as golas engomadas que se vê nos retratos de Elizabeth I ou de *sir* Walter Raleigh, feitas no séc. XVII por um alfaiate local, Robert Baker. No lado sul da rua, está a matriz da Waterstone's, considerada a maior livraria da Europa. Anteriormente, este edifício *art déco* abrigava a loja de departamentos Simpsons.

St. James Piccadilly

Um pouco mais abaixo fica a igreja **St. James Piccadilly** ❷ (tel.: 020-7734 4511; diariamente; grátis), projetada por Christopher Wren e consagrada em 1684. Veja em seu interior os entalhes de Grinling Gibbons: o belíssimo retábulo de madeira e a pia batismal de mármore (na qual foi batizado o poeta William Blake).

Compras

Diretamente atrás da igreja, encontra-se a **Jermyn Street**, na qual se acham os melhores camiseiros e lojas de artigos masculinos de Londres. Dê uma olhada lá antes de voltar para a Piccadilly, onde o próximo trecho da rua oferece oportunidades de compras igualmente in-

Acima, a partir da extrema esquerda: a elegante Berkeley Square; alfaiataria sob medida; Eros; ursos de pelúcia na Hamley's.

The Albany
Próximo à Royal Academy há esta bela mansão construída em 1770-74 e projetada por *sir* William Chambers. Em 1802, foi transformada em hospedaria para cavaleiros, solteirões e homens sem nenhuma ligação com o comércio. Entre os residentes antigos, incluem-se lorde Palmerston, Byron, Macaulay, o fictício Raffles, Aldous Huxley, Graham Greene, Isaiah Berlin, Terence Stamp, Edward Heath e o diarista Alan Clark.

Acima, a partir da esquerda: bolsa de couro da Mulberry; trufas no Fortnum & Mason; galeria comercial luxuosa; Shepherd Market.

Burlington Arcade
A tranquilidade nesta galeria comercial de luxo foi destruída em 1964, quando seis homens mascarados saltaram do carro, estilhaçaram as vidraças da loja da Associação de Ourives e Prateiros e roubaram jóias no valor de £35.000,00. Os assaltantes nunca foram encontrados.

teressantes. No n. 187, fica a livraria **Hatchard's**, desde 1801. O jovem Noël Coward foi pego furtando livros aqui em 1917. Umas poucas portas abaixo está a loja de departamentos **Fortnum and Mason** ❸, fornecedores da família real. Mesmo que você não compre nada, vale a pena entrar para ver o seu interior em estilo eduardiano e belissimamente bem conservado. Mais adiante, há um outro magnífico interior, desta vez no restaurante **Wolseley**, veja ⑪①, onde são servidas ligeiras refeições a qualquer hora do dia.

Royal Academy of Arts

Do outro lado da Piccadilly está a Burlington House, que abriga a **Royal Academy of Arts** ❹ (tel.: 020-7300 8000; diariamente, 10h-18h; 6ª até as 22h; entrada paga), fundada em 1768. No pátio fronteiro, vê-se uma estátua de seu primeiro presidente, o pintor Joshua Reynolds. A principal função da Academy hoje é apresentar grandes exposições de importantes obras de arte do passado, porém todo ano no verão é também realizada uma mostra de obras contemporâneas, e qualquer pessoa pode submeter seus quadros à Academia, para inclusão na mostra; os melhores são selecionados, expostos e colocados à venda.

Da Royal Academy, caminhe pela Burlington Arcade, galeria que fica ao lado, à direita. Repare nos "Beadles", os guardas que garantem a segurança deste paraíso de lojas de luxo, envergando seu tradicional uniforme de cartola e casaca.

MAYFAIR

Ao sair da Burlington Arcade, você dará na Burlington Gardens, em Mayfair. Transversal a ela, à direita, está a Savile Row – onde os alfaiates criam os mais perfeitos ternos sob medida do mundo – e, à esquerda, ficam as elegantes lojas de roupas da exclusiva Bond Street. Contudo, bem à sua frente, está a Cork Street.

Galerias de arte comerciais

Cork Street ❺ é uma das ruas em Londres (outras são Dover Street, Dering Street e Bond Street, todas por perto) onde se concentram os melhores *marchands*. As principais galerias nesta rua incluem Bernard Jacobson, no n. 6, e Waddington's, no n. 11. Entre os artistas de maior sucesso representados aqui, estão Frank Stella,

---

Onde comer 🍴

① THE WOLSELEY
160 Piccadilly; tel.: 020-7499 6996; diariamente, café-da-manhã, almoço e jantar; £££

Originalmente construído para ser um *showroom* de carros, em 1921, foi convertido numa elegante filial do Barclay's Bank em 1927 e, em 2003, num restaurante. O seu interior é excepcional, e o café-da-manhã (incluindo a omelete Arnold Bennett – com hadoque, mostarda e queijo), bem como o cardápio de ligeiras refeições (até mesmo bife tártaro) e o chá da tarde (ótimos bolos), são deliciosos. O almoço e o jantar também são bons, mas é aconselhável fazer reserva.

② SOTHEBY'S CAFÉ
34-35 New Bond Street; tel.: 020-7293 5077; 2ª-6ª, 9h30-17h; ££

Almoço e chá da tarde por um preço razoável, considerando ser esta uma área cara. Há também um café surpreendentemente informal no andar térreo desta respeitável casa de leilões.

③ LE GAVROCHE
43 Upper Brook Street, Mayfair; tel.: 020-7408 0881; 2ª-6ª, almoço e jantar; sáb., somente jantar; ££££

O *chef* Michel Roux Jr. oferece cozinha de alta classe e em grande estilo, e o menu fixo no almoço, que inclui três pratos, meia garrafa de vinho, café e água a um custo de £48,00 por pessoa, é uma pechincha. Este é, sem dúvida, um dos melhores restaurantes de Londres.

Robert Indiana, Peter Blake e Howard Hodgkin.

Bond Street
No final da **Cork Street** ❺ vire à esquerda, para entrar na **Bond Street**, onde você encontrará os melhores costureiros de alta-costura, lojas de grife (Channel, Gucci, Prada etc.), joalheiros (Asprey, Boucheron e Bulgari), bem como galerias de arte e antiquários. A metade sul da rua concentra os lugares mais luxuosos. Nos n. 34-35 fica a matriz da **Sotheby's**, a famosa casa de leilões fundada em 1744. É permitida a entrada do público. Há também aí um excelente café, ver ⑪②.

Continue subindo a Bond Street e faça um pequeno desvio, entrando à direita na Maddox Street, que o levará à **St. George's Church** ❻ (tel.: 020-7629 0874; 2ª-6ª, 8h-16h; dom., 8h-12h; grátis), construída em 1721-1724 pelo arquiteto John James. George Frederick Handel freqüentava muito esta igreja, e nela se casaram George Eliot e Teddy Roosevelt.

Brook Street
De volta à Bond Street, e mais acima, desta vez à esquerda, chega-se à Brook Street. No n. 25, está o **Handel House Museum** ❼ (tel.: 020-7495 1685; 3ª-sáb., 10h-18h; 5ª até as 20h; dom., 12h-18h; entrada paga), onde o compositor de "O Messias" viveu de 1723 até a sua morte, em 1759. Na porta ao lado, em 1968 e 1969, residiu um tipo muito diferente de músico – Jimi Hendrix –, lembrado por uma placa comemorativa.

Mais acima na Brook Street está o elegante hotel **Claridge's**. O *chef* Gordon Ramsay comanda o restaurante, e é muito mais fácil conseguir fazer reservas aqui do que no seu restaurante principal, em Chelsea. Mas talvez uma opção até melhor seja o **Le Gravoche,** ver ⑪③, ainda mais acima na Upper Brook Street.

Oxford Street
Virando à direita na Davies Street (em frente ao Claridge's) e subindo-a, você chega a **Oxford Street**. Esta é a principal rua comercial de Londres, onde, além de lojas de suvenir, há grandes lojas de departamentos, como Selfridges, John Lewis e House of Frazer. Quando você já estiver saturado de fazer compras, escape por uma das estações de metrô ao longo da rua.

Shepherd Market
Esta bela praça fica na White Horse Street, rua transversal à Piccadilly, onde há vários *pubs* bons e lugares para se jantar ao ar livre (especialmente o L' Artiste Musclé, no n. 1 da praça). Aqui costumava ser realizada a Feira de Maio anual, a "May Fair" – daí a denominação do bairro, que foi mantida de 1686 até 1767, quando foi banida devido ao seu ambiente desordeiro.

Abaixo: fachada iluminada do Hotel Ritz.

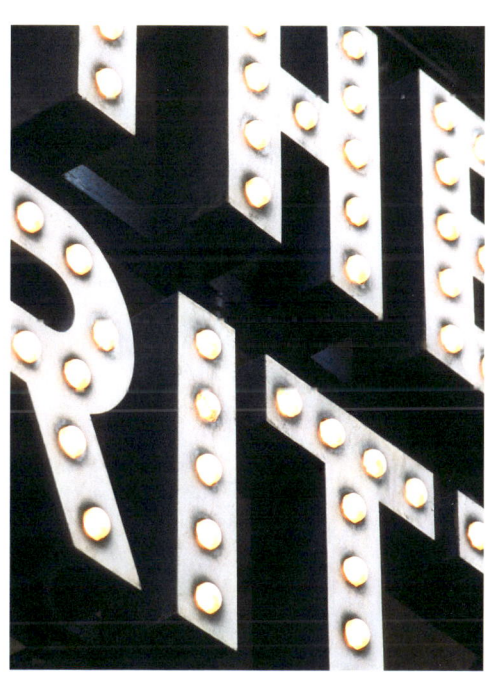

MARYLEBONE

Em contraste com a Oxford Street, rua movimentadíssima e essencialmente comercial diretamente ao sul, o elegante bairro de Marylebone tem a tranqüilidade de um vilarejo. Neste trajeto, você caminhará por suas principais ruas, onde se encontram, entre outras coisas, galerias de arte, um museu de cera e vestígios do famoso detetive Sherlock Holmes.

DISTÂNCIA 2 km
DURAÇÃO Metade de um dia
INÍCIO Estação do metrô Bond Street
FIM Baker Street
OBSERVAÇÕES Visite o museu Madame Tussauds após as 17h, quando os ingressos são mais baratos e a fila para entrar, menor. Se desejar conhecer a feira de produtos agrícolas na Moxon Street, faça a caminhada num domingo.

Wigmore Hall
No lado norte da Wigmore Street, encontra-se o Art Nouveau Wigmore Hall (reservas pelo tel.: 020-7935 2141; <www.wigmore-hall.org.uk>), construído em 1901 para recitais de música de câmara. Os concertos realizados aos domingos, às 11h30, são muito populares entre os aficionados por música, e o café no andar inferior é igualmente um grande atrativo.

No início do séc. XVIII, para aliviar o congestionamento na Oxford Street, foi construída uma nova via pública de Paddington a Islington, passando pela igreja paroquial St. Mary-by-the-bourne. A abastada família Portman financiou o desenvolvimento do bairro adjacente: Marylebone, que ainda hoje preserva muitas de suas elegantes construções georgianas e de seu requinte.

ST. CHRISTOPHER'S PLACE

Partindo da estação de metrô **Bond Street**, atravesse a Oxford Street e caminhe na direção norte, ao longo da estreita **St. Christopher's Place** ❶, ruela para pedestres tranqüila e repleta de butiques e cafés, entre eles: o **Carluccio's**, ver 🍽①.

WALLACE COLLECTION

Vire à esquerda na Wigmore Street e pegue a segunda rua à direita (Duke Street), que o levará à praça Manchester Square. Do outro lado da praça, você verá a Hertford House e a **Wallace Collection** ❷ (tel.: 020-7563 9500; <www.wallacecollection.org>; diariamente, 10h-17h; grátis), galeria que abriga a coleção doada à nação britânica pela viúva de Richard Wallace, filho bastardo da quarta marquesa de Hertford. Os grandes destaques são as obras de Boucher, Fragonard, Watteau, Franz Hals, Rembrandt e Rubens. O pátio da galeria é todo envidraçado e abriga um restaurante.

A RUA PRINCIPAL

Ao sair da galeria, vire à esquerda e pegue a Hinde Street, a leste da praça. Ao chegar no cruzamento, vire à esquerda e suba a Thayer Street, que, mais adiante, passa a se chamar **Marylebone High Street** ❸, a rua principal do bairro. Este trecho lembra um vilarejo urbano abastado, com suas butiques elegantes e pequenas livrarias (Oxfam Bookshop, no nn. 91, e Daunt Books, nos n. 83-84), e suas delicatéssen e seus cafés badalados, entre eles, o **Quiet Revolution**, ver 🍴②.

Continue subindo a rua, e, um pouco depois da metade, à esquerda, você verá a Moxon Street e o **Fromagerie**, ver 🍴③. Aos domingos, é realizada aqui uma feira de produtos agrícolas (10h-14h). De volta à Marylebone High Street, verá, no n. 55, a Conran Shop, famosa loja de artigos para casa, instalada em antigos estábulos. A loja foi aberta em 1999, contribuindo para a revitalização da área e para a sua transformação em bairro *fashion*.

MARYLEBONE ROAD

No final da Marylebone High Street fica a **Marylebone Road**, rua de onde se segue tanto para o leste como para o oeste. Seguindo reto, você dará na **Royal Academy of Music** ❹ (tel.: 020-7873 7300; <www.ram.ac.uk>; museu: 2ª-6ª, 11h30-17h30; sáb. e dom., 12h-16h), onde são realizados concertos (em geral grátis) e que abriga um museu de instrumentos históricos e uma coleção de documentos históricos.

Do outro lado da rua, encontra-se **St. Marylebone** ❺, a quarta igreja nesta área. A segunda delas foi descrita por William Hogarth em seu romance *Rake's progress*, escrito no séc. XVIII.

Madame Tussauds

Deste ponto, caminhe na direção oeste para ir ao **Madame Tussauds** ❻ (tel.: 020-7935 6861; <www.madame-tussauds.co.uk>; diariamente, 9h-18h; entrada paga), o famoso museu de cera londrino. Algumas das figuras são mais convincentes do que outras. O enfoque principal é nas celebridades contemporâneas e nos bizarros efeitos especiais.

BAKER STREET

Agora continue caminhando na direção oeste, e você chegará à Baker Street. No n. 239 desta rua, encontra-se o **Sherlock Holmes Museum** ❼ (tel.: 020-7935 8866; <www.sherlock-holmes.co.uk>; diariamente, 9h30-18h30; entrada paga), no qual você verá recriada a casa do famoso detetive ficcional de *sir* Arthur Conan Doyle.

Onde comer 🍴

① **CARLUCCIO'S**
St. Christopher's Place; tel.: 020-7935 5927; 2ª-6ª, 8h-23h; sáb., 9h-23h; dom., 0h 22h30; ££
Este é o principal café/delicatéssen da rede de Antonio Carluccio. A comida italiana é leve e fresca.

② **QUIET REVOLUTION**
28-29 Marylebone High Street; tel.: 020 7487 5683; 2ª-sáb., 9h-18h; dom., 11h-17h; £-££
Ao fundo da loja Aveda, encontra-se este café orgânico de ambiente descontraído, onde se servem comidas saudáveis. As mesas com cavaletes tornam o lugar ainda mais simpático.

③ **LA FROMAGERIE**
2-4 Moxon Street; tel.: 020-7935 0341; 2ª, 10h30-19h30; 3ª-6ª, 8h-19h30; sáb., 9h-19h; dom., 10h-18h; ££-£££
O café ao fundo desta queijaria sofisticada serve saladas originais com produtos da estação, sopas nutritivas e excelentes variedades de queijo.

Acima, a partir da extrema esquerda: Hertford House; o quadro *The Swing*, de Fragonard, na Wallace Collection; Jesus Lopez; W. Rouleaux.

Madame Tussauds
Marie Grosholtz fazia máscaras mortuárias das vítimas da Revolução Francesa de 1789. Abandonou o marido, François Tussaud, em 1802, e passou 33 anos viajando pela Grã-Bretanha com sua coleção de figuras de cera. O atual museu data de 1884.

REGENT'S PARK

A construção do Regent's Park se deveu à extravagância do príncipe regente. Vale a pena visitar este parque para conhecer seus jardins de roseiras, seu lago, seu zoológico, e caminhar pela Regent Street, rua que ligava o parque à Carlton House, a residência do príncipe, no The Mall.

DISTÂNCIA 4 km
DURAÇÃO Metade de um dia a um dia inteiro
INÍCIO Estação do metrô Regent's Park
FIM Zôo
OBSERVAÇÕES
Uma outra maneira de se chegar a este parque é pegando um barco em Camden Lock ou em Little Venice e descendo o Regent's Canal.
A empresa London Waterbus opera regularmente no verão (tel.: 020-7482 2660; <www.londonwaterbus.com>) e com menos freqüência no inverno.

Diorama
No n. 18 da Park Square East fica a entrada para o antigo Diorama, prédio de três andares; com parte de seu telhado em formato octagonal e envidraçado (pode-se avistá-lo de Peto Place, rua que fica na esquina). Projetado por Augustus Pugin, consistia de um auditório, o qual podia ser girado 73 graus, possibilitando a visão dos dois palcos ao mesmo tempo. Foram pintadas cenas *trompe l'oeil* em tecidos de algodão com 22 m de altura, que incluíam a catedral de Canterbury e um vale suíço. Infelizmente, não fez muito sucesso com o público e foi fechado em 1851.

Originalmente, o **Regent's Park** (tel.: 020-7486 7905; <www.royalparks.org.uk>; diariamente, das 5h até o entardecer; grátis) era parte da área usada por Henrique VIII para as suas caçadas. O parque começou a adquirir a forma atual em 1811, quando o príncipe regente (1762-1830), o futuro George IV, assumiu o poder e contratou o arquiteto John Nash. Nem tudo que constava na planta original de Nash foi realizado. Por outro lado, lá se encontram os renques de casas geminadas, as igrejas, o quartel e o rio projetados por Nash.

O parque tornou-se a sede do zôo de Londres, da Royal Toxophilite e das associações botânicas reais e foi aberto ao público em 1835. Um século depois, foram adicionados os Queen Mary's Gardens.

AS CASAS DE NASH

Ao sair da estação de metrô **Regent's Park**, revigore-se com um café-da-manhã ou almoço no RIBA Café, ver 🍴①. Depois, suba a rua de volta e atravesse a Marylebone Road para chegar na Park Square East, rua que ladeia a praça adjacente à Marylebone Road, onde costumava ser a entrada para o **Diorama** ❶ (*veja à esquerda*). No noroeste da praça fica St. Andrew's Place e o Royal College of Physicians – a arquimoderna obra de arte do arquiteto Denys Lasdun, concluída em 1964.

Suba o Outer Circle, via que circunda o Regent's Park, passando por **Cambridge Gate** ❷, um dos portões de acesso ao parque, construído em 1880 no local onde antes ficava o Colosseum – um edifício abobadado, projetado por Decimus Burton em 1827, que foi demolido em 1875.

Seguindo adiante, você entrará em Chester Terrace; caminhe pelo meio desse trecho, cruzando, antes, o **Chester Gate** ❸. À direita da passagem arcada fica um casarão, e, em cima do muro, há o busto de um homem de "cabeça redonda, nariz arrebitado e olhos pequeninos" – autodescrição de Nash. No final do renque de casas, vire à esquerda e atravesse o Outer Circle, para entrar no parque.

QUEEN MARY'S GARDENS

Siga em frente até chegar a **Broad Walk**, um caminho ladeado de bancos. Vire à direita, se quiser ir comer no **The Honest Sausage**, ver ②. Vire à esquerda e depois à direita, em Chester Road, para chegar ao **Inner Circle** e a **Queen Mary's Gardens** ❹, que contém 400 variedades de rosas e jardins aquáticos. No extremo norte desses jardins há um café e um teatro ao ar livre (tel.: 0870 060 1811; <www.openairtheatre.org>), só abre durante o verão.

O LAGO

Retorne ao Inner Circle em York Gate, ande em sentido horário até chegar ao caminho que vai dar em **Longbridge** ❺, de onde você chegará ao lago. Foi aqui que Trevor Howard e Celia Johnson andaram de barco no filme romântico *Desencanto* ("Brief Encounter", 1945), de David Lean, um clássico do cinema inglês. Se você acha que consegue remar melhor do que Trevor Howard, siga pelo caminho ao longo do lago para **Hanover Bridges** ❻, onde se alugam barcos (verão: 9h-20h; inverno: 10h-16h; pago).

ZÔO

Para visitar o **London Zoo** ❼ (tel.: 020-7722 3333; <www.zsl.org>; mar.-out.: diariamente, 10h-17h30; out.-fev.: diariamente, 10h-16h; entrada paga), fundado em 1828, pegue o caminho ao norte de Longbridge ou de Hanover Bridges. Ao chegar ao Outer Circle, vire à direita, e logo adiante fica a entrada principal para o zôo.

O melhor período para a visita é à tarde, quando os animais são alimentados, especialmente para assistir à alimentação dos pingüins e dos chimpanzés.

Acima, a partir da extrema esquerda: estátuas elegantes; espreguiçadeiras no Regent's Park; macacos no zôo; Portland Place.

Onde comer

① **RIBA CAFÉ**
66 Portland Place; tel.: 020-7631 0467; diariamente, café-da-manhã, almoço e jantar; ££
Ambiente elegante, estilo anos 1930, na sede do Royal Institute of British Architects. Comida leve e fresca.

② **THE HONEST SAUSAGE**
The Broadwalk, Regent's Park; não tem tel.; diariamente, 8h-19h; no inverno, até as 16h; £
Neste pavilhão, servem-se salsichas de porco caipira de primeira qualidade e de diversas maneiras, com acompanhamentos variados; às vezes, são servidas salsichas "especiais", que nem sempre constam no cardápio. Experimente também o bacon, as saladas, as sopas e os sanduíches (com recheios clássicos, como ovo e sementes de mostarda, e queijo cheddar).

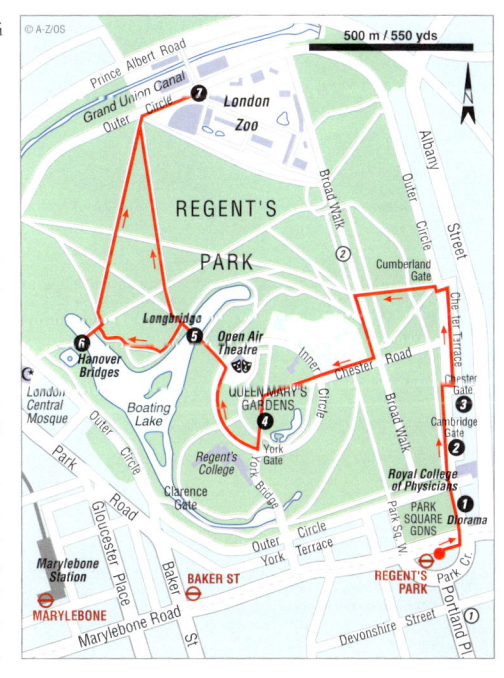

BLOOMSBURY

Esta é a parte intelectual da cidade. Para os do tipo Indiana Jones, há o Museu Britânico, para os literatos, as casas de Charles Dickens e Virginia Woolf, para os estudiosos, a Universidade de Londres.

DISTÂNCIA 3 km
DURAÇÃO Um dia inteiro
INÍCIO Museu Britânico
FIM Russell Square
OBSERVAÇÕES
A estação de metrô mais próxima ao Museu Britânico é Tottenham Court Road. Para chegar ao ponto de partida da caminhada, na estação de metrô, pegue a saída para o Dominion Theatre, suba a Tottenham Court Road, depois vire à direita na Great Russell Street. O Museu Britânico fica à sua esquerda, logo depois do cruzamento com a Bloomsbury Street. O museu é imenso e você provavelmente precisará de pelo menos metade de um dia para explorá-lo.

Acima: gato livresco no literário bairro de Bloomsbury.

Mosaicos no metrô
Na estação de metrô Tottenham Court Road, repare nos mosaicos em cores vivas do artista pop Eduardo Paolozzi.

Bloomsbury tem ao norte os terminais ferroviários de Euston, St. Pancras e King's Cross, mas não pense que se trata de uma área tipicamente ferroviária. É a sede da atividade intelectual londrina: no início do séc. XX, foi reduto dos literatos do grupo de Bloomsbury, e ainda tem uma atmosfera distintamente cultural e acadêmica, com o Museu Britânico e a Universidade de Londres.

MUSEU BRITÂNICO

O **British Museum** ❶ (tel.: 020-7323 8299; <www.britishmuseum.org>; diariamente, 10h-17h30, algumas das galerias até as 20h30, às 5ªˢ e 6ªˢ; grátis) é um dos mais antigos museus do mundo, fundado por um Ato do Parlamento em 1753 e aberto em 1759. Ao longo dos séculos, acumulou uma coleção de 6.5 milhões de peças. Mesmo que você dedicasse apenas 60 segundos a cada objeto, teria de passar mais de 12 anos lá. Embora apenas 50.000 objetos estejam em exibição, não é um museu que se possa visitar em uma hora. É também uma das atrações de Londres mais visitadas, e a melhor hora para fazê-lo é logo depois de ele abrir. Como há muitas coisas para se ver, só indicaremos abaixo as mais famosas, de modo que você possa priorizar as de seu maior interesse.

Onde comer

① BRITISH MUSEUM CAFÉ
Great Court, British Museum; dom.-4ª, café-da-manhã, almoço e chá da tarde, 9h-17h30; 5ª-sáb., café-da-manhã, almoço e jantar, até as 21h; £.
Ligeiras refeições, sanduíches e bebidas servidos no incomparável pátio interno do museu, com o magnífico teto projetado por Norman Foster. Há também um elegante restaurante no andar de cima que serve almoço e lanche diariamente e jantar às 5ªˢ e 6ªˢ (tel.: 020-7323 8990; £££).

② TRUCKLES
Pied Blue Yard, transversal a Bury Place; tel.: 020-7404 5338; 2ª-6ª, almoço e jantar, 11h-22h; ££-£££
Pub tradicional num pátio perto da livraria London Review of Books. Simples e moderno no andar de cima; no andar de baixo, mesas iluminadas a velas e piso coberto de serragem; mesas ao ar livre no verão. O cardápio inclui caranguejos ao vinagrete, perna de carneiro e *treacle tart* (torta de melaço). Há também um menu fixo na hora do almoço, por £10,00.

As opções para ligeiras refeições no museu, ou perto dali, incluem o café do museu, ver ⑪①, no Great Court (pátio interno do museu), reprojetado pelo arquiteto Norman Foster, ou o **Truckles**, ver ⑪②; ao sair do museu, vire à esquerda, atravesse a rua e logo depois pegue a Bury Place, à direita; o Truckles fica num pátio, à sua esquerda.

Múmias Egípcias: salas 62-63
Os sarcófagos egípcios são, de longe, o que mais atrai público. Graças à entusiástica pilhagem feita pelos exploradores do séc. XIX, a coleção (localizada no andar superior) é a mais rica que existe fora do Egito.

Pedra de Roseta: sala 4
Outra grande atração é o bloco de granito conhecido como Pedra de Roseta, do séc. II a.C., que foi a chave para decifrar os hieróglifos egípcios. Na mesma sala, encontra-se a colossal cabeça de arenito do faraó Ramsés II, que dizem ter sido a inspiração para o *Ozymandias*, poema de Shelley sobre a transitoriedade do poder.

Mármores de Elgin: sala 8
Entre as mais controversas possessões do museu estão os Mármores de Elgin. Esculpidos no séc. V a.C., retratam cenas da batalha entre os lápitas e os centauros, uma procissão para a deusa Atenas, bem como vários deuses gregos.

Os mármores foram retirados do templo Parthenon na acrópole, em Atenas, pelo lorde Elgin, no início do séc. XIX. Isso, ironicamente, os salvou para a posteridade, pois os templos da acrópole foram utilizados para armazenar munição durante a Guerra de Independência Grega (1821-33), e muito do que restou foi reduzido à ruína. Compreensivelmente, os gregos querem as esculturas de volta.

Bronzes de Benin: sala 25
No subsolo encontram-se cerca de cinco dúzias das 900 placas de bronze achadas na cidade de Benin, Nigéria, em 1897. Os Bronzes de Benin foram provavelmente fundidos no séc. XVI, para revestir as colunas de madeira do palácio; eles retratam a vida e os rituais da Corte com extraordinários detalhes.

Navio-Esquife Anglo-Saxão: sala 41
O navio-esquife Sutton Hoe foi o mais rico tesouro jamais escavado do solo britânico. O barco, construído no princípio do séc. VII, foi provavelmente a câmara mortuária de Raedwald, um rei da East Anglia. A areia ácida havia destruído todo o material orgânico bem

Acima, da esquerda para a direita: pátio interno do Museu Britânico; antigo sarcófago egípcio no Museu Britânico.

O Vaso Portland
Esta obra-prima romana (sala 70) foi produzida em c. 20 a.C. Entretanto, em 1845, um vândalo bêbado despedaçou-a. As peças foram coladas grosseiramente logo depois, porém, recentemente, o vaso foi desmontado e habilmente remontado. Hoje tem a aparência original.

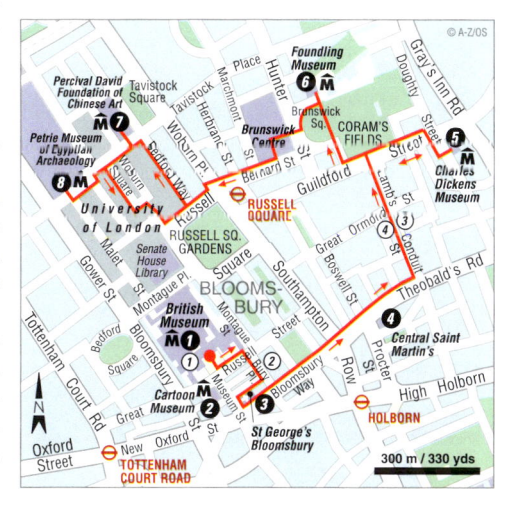

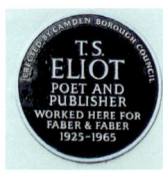

Faber and Faber
T. S. Eliot foi editor de poesias nesta famosa editora em Russell Square.

Grupo de Bloomsbury
No início do séc. xx, um grupo de amigos apelidados de "Bloomsberries", que incluía E. M. Forster, Lytton Strachey, J. M. Keynes, Clive e Vanessa Bell, Duncan Grant, Virginia e Leonardo Woolf, costumava se reunir nas casas um dos outros, nos n. 37, 46, 50 e 51 da Gordon Square, para discutir literatura e arte. Outros notáveis residentes de Bloomsbury foram Thomas Carlyle, no n. 38 da Ampton Street, Edgar Allan Poe, no n. 83 da Southampton Row, Anthony Trollope, no n. 6 da Store Street, e W. B. Yeats, no n. 5 da Upper Woburn Place.

antes da escavação, em 1939, mas um rico estoque de armas, escudos, moedas, vasilhas e jóias sobreviveu.

Outros destaques

Na sala 42 encontram-se as peças de xadrez Lewis, achadas na Ilha de Lewis, nas Hébridas de Fora, Escócia, e provavelmente feitas na Noruega. Datam do séc. XII e foram elaboradamente esculpidas em presas de morsa e dentes de baleia. As figuras encimadas por elmos e as faces com expressão carrancuda são quase cômicas.

A sala 50 exibe a múmia de Lindow Man, vítima de um sacrifício descoberto numa turfeira em Cheshire, em 1984. Os cientistas foram capazes de determinar seu grupo sanguíneo, sua aparência e o que havia comido.

RUAS HISTÓRICAS

Quando terminar sua visita ao museu, desça a Bury Place e vire à direita na Little Russell Street. Siga por essa rua, atravesse a Museum Street e pare no **Cartoon Museum** ❷, à sua direita, no n. 35 (tel.: 020-7580 8155; <www.cartoonmuseum.org>; 3ª-sáb., 10h30-17h30; dom., 12h-17h30; entrada paga). Ou, então, percorra as livrarias e galerias da Museum Street, virando à esquerda na Bloomsbury Way, no final da rua.

Quase imediatamente à sua esquerda está a **St. George's Bloomsbury** ❸ (tel.: 020-7405 3044; 3ª-6ª, 13h-14h; sáb., 11h30-17h; dom., 14h-17h; grátis), a sexta e última (concluída em 1731) igreja londrina projetada por Nicholas Hawksmoor, o arquiteto líder do barroco inglês. A torre, em forma de pirâmide com degraus, é encimada pela única estátua de George I existente na Grã-Bretanha.

Continuando pela Bloomsbury Way, cruze a Southampton Row, e você entrará na Theobald's Road. À sua direita, fica a **Central Saint Martin's** ❹ (tel.: 020-7514 7015), uma das melhores faculdades de arte de Londres, com seu próprio museu e uma coleção de obras produzidas por seu *staff*, alunos e ex-alunos. Mais adiante – na quinta rua à esquerda –, está a Lamb's Conduit Street, rua repleta de lojas, atraentes *pubs*, cafés e restaurantes, entre eles: o **Cigala** e o **Vat's Winebar**, ver 🍴③ e 🍴④. Continue até o fim da rua, depois vire à direita na Guildford Place e, de novo, à direita, para a Doughty Street.

DICKENS MUSEUM

No n. 48 da Doughty Street fica o **Charles Dickens Museum** ❺ (tel.: 020-7405 2127; <www.dickensmuseum.com>; 2ª-sáb., 10h-17h; dom., 11h-17h; entrada paga). O autor viveu aqui de 1837 a 1839, enquanto escrevia *Nicholas Nickleby* e *Oliver Twist*. É a única de suas casas em Londres que sobrevive, e contém todo tipo de *memorabilia*.

FOUNDLING MUSEUM

Retorne à Guildford Place, onde, à sua direita, você verá o **Coram's Fields**, um parque para crianças (é proibida a entrada de adultos que não estejam acompanhados de uma criança). No n. 40 da Brunswick Square, em direção ao lado oeste do parque, está o

Foundling Museum ❻ (tel.: 020-7841 3600; <www.foundlingmuseum.org.uk>; 3ª-sáb., 10h-18h; dom. 12h-18h; entrada paga), antigo Thomas Coram's Foundling Hospital, que cuidou de 27.000 crianças abandonadas entre 1739 e 1953, quando fechou.

Ao mesmo tempo em que conta a história do hospital, o museu exibe importantes coleções referentes a dois de seus primeiros diretores, o artista William Hogarth e o compositor George Frederick Handel. Hogarth instigava os artistas da época a doarem algumas de suas obras e, assim, conseguiu criar a primeira galeria de arte pública da Grã-Bretanha. A coleção inclui quadros de Hogarth, Reynolds e Gainsborough, que estão expostos nas salas originais.

Handel doou a renda de apresentações anuais do *The Messiah* e legou os manuscritos ao hospital. O museu desde então adquiriu uma enorme coleção referente a Handel, que inclui manuscritos, livros e música, libretos e pinturas.

UNIVERSIDADE DE LONDRES

Ao sair do Foundling Museum, siga para o outro lado da praça, onde se encontra o futurista Brunswick Centre, projetado por Patrick Hodgkinson em 1973. Suba os degraus próximos ao cinema Renoir, vire à esquerda e atravesse o complexo, passando por seus cafés e restaurantes, para sair na Bernard Street. Dali, caminhe em direção à praça Russell Square, que fica um pouco depois da estação de metrô. Ao chegar à praça, vire à direita na Bedford Way, e você estará no território da universidade.

No final da rua, vire à esquerda, e do outro lado dela verá o primeiro dos dois museus da universidade, o **Percival David Foundation of Chinese Art** ❼ (tel.: 020-7387 3909; 2ª-6ª, 10h-12h30 e 13h30-17h; grátis), que contém cerâmicas e pinturas raras.

Continue caminhando na direção oeste, da Gordon Square à Byng Place, e chegará à Malet Place, inconspícua ruela à sua direita, que leva à University College e ao **Petrie Museum of Egyptian Archaeology** ❽ (tel.: 020-7679 2884; <www.petrie.ucl.ac.uk>; 3ª-6ª, 13h-17h; sáb., 10h-13h; grátis). No museu, não deixe de ver o vestido mais antigo do mundo (2800 a.C.).

Por fim, retorne à Russell Square para pegar o metrô, vire à direita na Gordon Square, atravesse a Woburn Square e vire à esquerda.

Onde comer

③ **CIGALA**
54 Lamb's Conduit Street; tel.: 020-7405 1717; diariamente, almoço e jantar; £££
Restaurante espanhol movimentado, onde se servem tapas ou menu à *la carte*, comandado pelo proprietário-chef Jake Hodges (ex Moro, em Clerkenwell).
Excelentes xerezes, vinhos e licores. Menu fixo no almoço, com bom preço.

④ **VAT'S WINEBAR**
51 Lamb's Conduit Street; tel.: 020-7242 8963; 2ª-6ª, almoço e jantar; £££
Winebar antigo e sempre muito popular. Interior confortável, paredes revestidas de madeira, garçons simpáticos e comida confortante para acompanhar a séria carta de vinhos. Conte com porções generosas de toucinho fresco, ensopado de faisão e perna de carneiro.

Biblioteca da Universidade
Na Segunda Guerra Mundial, a biblioteca Senate House, na Russel Square, foi usada como Ministério das Comunicações. Hitler, então, marcou-a para ser o seu quartel-general após a invasão. A biblioteca também serviu como modelo para o Ministério da Verdade no livro *1984*, de George Orwell.

Wellcome Collection
Ao norte da universidade, em frente à estação de Euston Station, fica a excelente Wellcome Collection (183 Euston Road, <www.wellcomecollection.org>; 3ª-sáb.; aberta até mais tarde às 5ªs; grátis), um espaço museu/arte dedicado à medicina e às suas relações com a arte e a sociedade, onde se misturam itens da eclética coleção de objetos de Henry Wellcome (1853-1936). Possui um café e uma livraria.

Boliche
Vá jogar boliche com estilo no subsolo do Hotel Tavistock, na Bedford Way (020-7691 2610; <www.bloomsburybowling.com>). Esta é uma ótima opção para crianças num dia chuvoso, mas lembre-se de que depois das 16h só é permitida a entrada de adultos. É aconselhável fazer reserva.

HOLBORN E OS INNS OF COURT

Esta área, descrita tão vividamente nos romances de Charles Dickens, é domínio de jornalistas e advogados. A atmosfera dickensiana está bem preservada nas ruelas sinuosas, nos pubs *antigos, nas seculares e graciosas lojas e nas igrejas históricas.*

Primeiras impressões
As gráficas e a indústria editorial desenvolveram-se no séc. xv, nos arredores da Fleet Street, por ser a área de reduto do clero: como o clero tinha quase total monopólio sobre a alfabetização, ele era o melhor cliente das gráficas.

DISTÂNCIA 3 km
DURAÇÃO Metade de um dia a um dia inteiro
INÍCIO St Bride's, Fleet Street
FIM Somerset House
OBSERVAÇÕES
O trajeto levará um dia inteiro se você visitar todos os museus no caminho. A estação mais próxima ao ponto de partida é Blackfriars (ferroviária e de metrô). Use a saída n. 8 e siga na direção norte, para a Fleet Street. A estação de metrô mais perto de Somerset House é Temple, no Embankment.

O passeio começa no lado oeste da Fleet Street, trecho sinônimo de jornalismo impresso, embora a indústria jornalística tenha saído desta área há muito tempo. Para continuar do ponto em que muitos jornalistas partiram, faça uma parada no **Blackfriar**, ver ①, que fica em frente à estação Blackfriars, um dos muitos *pubs* históricos nesta parte de Londres. Quando estiver saciado, caminhe na direção norte para Ludgate Circus, depois vire à esquerda na Fleet Street, para seguir a margem do antigo rio Fleet, hoje enterrado num esgoto.

FLEET STREET

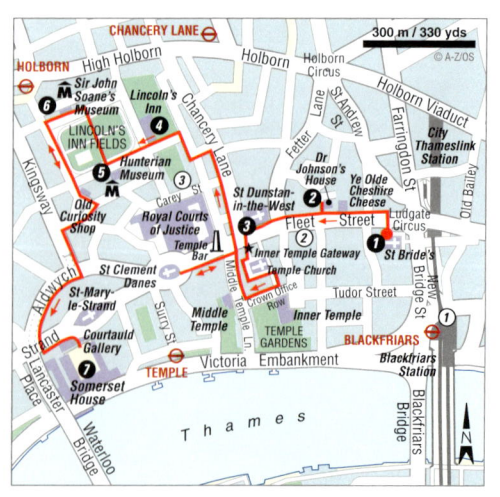

À esquerda, descendo a Bride Lane, avista-se a torre da igreja **St. Bride's** ① (tel.: 020-7427 0133; 2ª-6ª, 8h-18h; sáb., 11h-15h; dom., 10h-13h e 17h-19h30; grátis). Essa igreja, que serviu de inspiração para o primeiro bolo de casamento em camadas, foi construída pelo arquiteto *sir* Christopher Wren depois de o Grande Incêndio de Londres ter destruído sua antecessora medieval, em 1666. Infelizmente, o interior da igreja foi mais uma vez destruído durante a Blitz de 1940, mas foi cuidadosamente restaurada. O museu na cripta exibe mosaicos romanos, paredes de igrejas saxônicas, bem como o livro *Ovid*, de William Caxton, produto da primeira prensa tipográfica da Inglaterra.

Sedes de jornais nacionais

No outro lado da Fleet Street ficam as antigas sedes dos jornais britânicos, que, nos anos 1980, foram transferidas para locais mais baratos e mais industriais. No n. 121, encontra-se um prédio *art déco* de vidro preto e cromo (apelidado de Black Lubyanka) que foi, em certa altura, o centro nervoso dos jornais *Express*. Um pouco mais abaixo, no n. 135, vê-se o palácio que costumava abrigar o jornal *Telegraph*.

A casa de dr. Johnson

No mesmo lado da rua, repare o *pub* **Ye Olde Cheshire Cheese** (reconstruído em 1667), que costumava ser freqüentado por Samuel Johnson e amigos. Daqui até a **Dr. Johnson's House** ❷, na Gough Square (tel.: 020-7353 3745; <www.drjohnsonshouse.org>; 2ª-sáb., 11h-17h30; no inverno, até as 17h; entrada paga), é uma caminhada breve e bem sinalizada. Johnson morou aqui de 1748 a 1759, e foi no sótão da casa que escreveu seu dicionário, auxiliado por seis pobres escreventes.

Retorne à Fleet Street e atravesse a rua para ir ao **El Vino**, ver 🍴②.

Igreja St. Dunstan in-the-West

Do outro lado da Fleet Street, passando a Fetter Lane, está a igreja **St. Dunstan-in-the-West** ❸ (tel.: 020-7405 1929; 2ª-6ª, 11h-14h; grátis), famosa por seu relógio do séc. XVII e sua associação com o poeta-padre John Donne, que foi seu reitor (1624-31). Acima do pórtico, há uma estátua da rainha Elizabeth I.

INNS OF COURT

Mais adiante, à esquerda, no n. 17, fica **Inner Temple Gateway**, que leva aos pátios, aposentos e jardins de um dos quatro Inns of Court (associações de advogados de Londres). Entre pela ruela e continue até **Temple Church**, uma parte da qual foi construída na década de 1180 para alojar os advogados em Temple. Siga para a esquerda, atravessando a Church Court, em direção à King's Bench Walk (onde, no passado, Tony Blair exerceu a profissão de advogado), e vire à direita. Logo adiante, dobre de novo à direita na Crown Office Row e ande até o final dos jardins (2ª-6ª, 12h30-15h; grátis), para sair na Middle Temple Lane.

Vire à direita e passará, à sua esquerda, pelos edifícios de um dos outros Inns of Court – **Middle Temple**, e, ao sair daí, você estará na fronteira entre a Fleet Street e o Strand. Aqui

Onde comer 🍴

① BLACKFRIAR PUB
174 Queen Victoria Street, Blackfriars; tel.: 020-7236 5474; diariamente, almoço e jantar; ££
O interior deste pub vitoriano foi redecorado em 1902 por Henry Poole. É todo em mármore, mosaico e escultura em baixo-relevo. Maravilhoso. Boa cerveja (real ale), comida razoável (até as 21h).

② EL VINO
47 Fleet Street; tel.: 020-7353 6786; 2ª-6ª, café-da-manhã, almoço e jantar; ££-£££
Bar-restaurante antigo na Fleet Street, ambiente agradável, boa comida (do tipo torta de carne e rim), porções generosas. Bons vinhos. Preços muito acessíveis.

Acima, a partir da extrema esquerda: El Vino, *pub* clássico; Samuel Johnson; St. Bride's; prontos para ir para o tribunal.

Sweeney Todd
Ao lado de St. Dunstan's encontram-se os antigos escritórios do jornal *Dundee Courier*, construídos no local onde anteriormente ficava a barbearia de Sweeney Todd. Conta-se que na década de 1780 Todd matou mais de cem de seus clientes e vendeu os corpos para a loja de tortas da senhora Lovett (na Bell Yard, mais adiante), que os usou para rechear suas tortas de carne.

Gateway Tavern
No primeiro andar do Inner Temple Gateway fica o Prince Henry's Room (quarto do príncipe Henrique) (2ª-6ª, 11h-14h), cujo teto, todo trabalhado, contém as iniciais do filho de James I. O edifício, que data de 1611, foi originalmente um bar chamado The Prince's Arms.

Acima, a partir da esquerda: vista do histórico *pub* Seven Stars, que dá para os Royal Courts of Justice; vista panorâmica da City à noite.

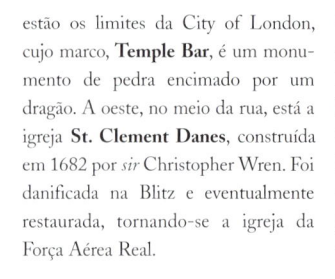

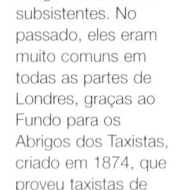

Abrigo dos taxistas
Vire à direita no extremo sul de Middle Temple Lane, e, em Temple Place, acima do Embankment, está um dos poucos abrigos de taxistas subsistentes. No passado, eles eram muito comuns em todas as partes de Londres, graças ao Fundo para os Abrigos dos Taxistas, criado em 1874, que proveu taxistas de alternativas para *pubs*.

Silver Vaults
As London Silver Vaults, antigas casas-fortes no final da Chancery Lane (tel.: 020-7242 3844), que hoje abrigam lojas de artigos de prata, antigos e modernos, foram abertas em 1876 para prover as pessoas abastadas de abrigo seguro para seus objetos de valor.

estão os limites da City of London, cujo marco, **Temple Bar**, é um monumento de pedra encimado por um dragão. A oeste, no meio da rua, está a igreja **St. Clement Danes**, construída em 1682 por *sir* Christopher Wren. Foi danificada na Blitz e eventualmente restaurada, tornando-se a igreja da Força Aérea Real.

Chancery Lane
À direita da igreja, encontram-se os **Royal Courts of Justice**, tribunais superiores onde são julgadas as ações civis mais importantes da Inglaterra. À direita, fica Chancery Lane. Ao subir essa rua, verá a Carey Street, à esquerda, onde tem lojas especializadas em perucas, o joalheiro Silver Mousetrap (fundado em 1690) e o *pub* **Seven Stars**, ver ①③.

Lincoln's Inn Fields
Mais acima, em Chancery Lane, entre no **Lincoln's Inn** ❹ pelo arco à esquerda, chamado "New Square", construído durante o reinado de Henrique VII (1485-1509) e, anteriormente, mais apropriadamente denominado Old Hall. Atravesse-o indo em direção ao portão a leste e à **Lincoln's Inn Fields**, a maior praça de Londres. No lado sul, fica o Royal College of Surgeons, que abriga o **Hunterian Museum** ❺ (tel.: 020-7869 6560; <www.rcseng.ac.uk>; 3ª-sáb., 10h-17h; grátis), que contém uma coleção de obras de arte e espécimes anatômicas.

Sir John Soane's Museum
No lado norte da praça, no n. 13, fica o excêntrico **Sir John Soane's Museum** ❻ (tel.: 020-7405 2107; <www.soane.org>; 3ª-sáb., 10h-17h; e na primeira terça-feira de cada mês, 18h-21h; grátis). Soane (1753-1826), arquiteto que projetou o Banco da Inglaterra, fez o projeto desta casa, que era sua própria residência. Os cômodos encontram-se exatamente como ele os deixou.

Saia da praça pelo lado a sudoeste, na Portsmouth Street. A **The Old Curiosity Shop**, do romance de Dickens, está à esquerda (hoje é uma sapataria). Caminhe pelas ruelas, em direção ao sul, para chegar a Aldwych, que o levará de volta ao Strand.

SOMERSET HOUSE

No lado sul, fica a **Somerset House** ❼, mansão palladiana construída por *sir* William Chambers entre 1776-96 e que hoje abriga a **Courtauld Gallery** (tel.: 020-7845 4600; <www.somersethouse.org.uk>; diariamente, 10h-18h; entrada paga, exceto às segundas-feiras), onde são exibidos quadros notáveis. No verão, há no pátio, em meio aos chafarizes, um cinema ao ar livre e, no inverno, um rinque de patinação.

Onde comer
③ THE SEVEN STARS
53a Carey Street, Blackfriars; tel.: 020-7242 8521; diariamente, almoço e jantar; ££
Construído em 1602, este *pub* sobreviveu ao Grande Incêndio e, graças à proprietária, Roxy Beaujolais, mantém até hoje sua estrutura original. Situado ao lado da porta dos fundos dos tribunais, é muito popular entre advogados. Boa cerveja e comida (ostra, arenque, bolo de carne, ensopado de carne de caça).

CITY OF LONDON

Apesar de sua rica história, a City of London, ou City, não é um museu. Arranha-céus hi-tech *sobrepujam a cúpula da Catedral de São Paulo, e o número de guardas na Torre de Londres é muito menor do que os de colarinhos-brancos que percorrem suas ruas diariamente.*

A estação de metrô mais próxima ao ponto de partida é a Tower Hill. Ao sair do metrô, dobre à direita e siga em direção à Torre de Londres. Ao descer as escadas da passagem subterrânea, você verá uma parte da antiga cidade romana à sua esquerda. Atravesse a rua e siga à direita; a entrada principal para a Torre é na beira do rio.

DISTÂNCIA 3,5 km
DURAÇÃO Um dia inteiro
INÍCIO Torre de Londres
FIM Barbican
OBSERVAÇÕES
Faça esta caminhada em um dia de semana, pois a City adormece nos fins de semana.

TORRE DE LONDRES

Em 1078, William, o Conquistador, mandou construir a **Tower of London** ❶ (tel.: 0844 482 7777; <www.hrp.org.uk>; mar.-out.: 3ª-sáb., 9h-17h30; dom.-2ª, 10h-17h30; última visita guiada: 15h30; nov.-fev.: fecha às 16h30, última visita guiada: 14h30; entrada paga). Desde então, a edificação mais mal-assombrada da Inglaterra já abrigou um zoológico (no reinado do rei João, 1199-1216), um palácio (no reinado de Henrique III, 1216-1272) e uma prisão VIP (cujos prisioneiros incluíram Elizabeth I, Guy Fawkes, Walter Raleigh e, mais recentemente, Rudolf Hess).

Para visitá-la, sugiro um dos passeios de uma hora de duração conduzidos por um guarda (*Beefeater*) da Torre. Visite a **White Tower**, única torre de menagem normanda ainda existente na Inglaterra, e o *armoury* (arsenal), que contém o machado que era utilizado em execuções e um cepo. Veja também as **Crown Jewels** (jóias da coroa britânica), aqui guardadas desde 1303. Além de coroas, orbes e cetros, há uma poncheira de 2 metros. Do lado de fora, observe a colônia de corvos que habita a torre: segundo a lenda, ela desmoronará no dia em que os corvos debandarem. Isso quase aconteceu na Segunda Guerra Mundial, quando todos os corvos, com exceção de um, morreram de choque traumático durante os bombardeios aéreos.

AO LONGO DO RIO

Caso você necessite de um descanso, atravesse a Tower Bridge Approach, no lado leste da Torre de Londres, em direção a **St. Katharine's Dock** ❷, onde você poderá tomar um drinque num dos cafés voltados à marina. Aqui, os armazéns projetados por Telford servem de pano de fundo para bar-

Tower Bridge
A Tower Bridge (tel.: 020-7403 3761; <www.towerbridge.org.uk>; abr.-set., 10h-18h30, out.-mar., 9h30-18h; entrada paga) fica ao lado da Torre de Londres. Concluída em 1894, seus icônicos básculos, que pesam mil toneladas, ainda são erguidos cerca de mil vezes ao ano, embora hoje sejam movidos a eletricidade e gasolina, e não a vapor. Os passadiços no alto da torre oferecem ao público pagante vistas maravilhosas. Em 1952, um ônibus londrino pulou de um básculo a outro quando a ponte começou a levantar.

Acima, a partir da extrema esquerda: Colarinhos-brancos no horário de almoço, na City; Catedral de São Paulo vista do South Bank; *sir* Christopher Wren; arquitetura antiga e moderna na City.

London Bridge St. Magnus the Martyr marca a entrada para a Ponte de Londres original, cujo modelo se encontra no vestíbulo. A antiga London Bridge, ladeada com 200 lojas, foi substituída em 1831 por uma estrutura de granito mais simples rio acima, projetada por John Rennie. Entretanto, o peso fez com que as suas fundações afundassem, e a ponte foi vendida em 1968 a um empresário americano, que a reconstruiu no Arizona. A ponte substituta é prática, mas pouco atraente.

Mansion House Construída entre 1739 e 1752 pelo arquiteto George Dance, o Velho, é a residência oficial do prefeito (Lord Mayor) da City of London. Atrás da casa fica a igreja St. Stephen Walbrook, de Christopher Wren, cujo domo foi construído de forma muito inteligente.

caças no rio Tâmisa, clíperes restaurados e um navio de guerra do séc. XVIII, o *The Grand Turk*.

Agora retorne à entrada principal da Torre, suba a Lower Thames Street, passando pela **Custom House** (1817) à esquerda e, em seguida, pelo **Old Billingsgate Market**, que, por muitos séculos, foi o principal mercado de peixe de Londres. Mais adiante, também à esquerda, está a igreja **St. Magnus the Martyr** ❸, projetada por *sir* Christopher Wren e concluída em 1676 (*veja a margem esquerda*).

THE MONUMENT

Logo antes da ponte, dobre à direita e suba a Fish Street Hill em direção ao **The Monument** ❹ (tel.: 020-7626 2717; diariamente, 9h30-17h, entrada paga), monumento em memória ao Grande Incêndio de 1666, que come-

Onde comer

① SWEETINGS
339 Queen Victoria Street; tel.: 020-7248 3062; 2ª-6ª, somente almoço; ££-£££
Este famoso restaurante na City (que funciona neste local desde 1889) é especializado em peixes. Um almoço clássico pode incluir cerveja preta Guinness, pasta de camarão (servida com pão integral e manteiga), hadoque defumado (cozido, com um ovo pochê em cima) e, de sobremesa, *spotted dick* (bolo de frutas secas).

② SIMPSON'S TAVERN
Ball Court, 38 Cornhill; tel.: 00-7626 9985; 2ª-6ª, somente almoço; ££-£££
Esta taberna muito antiga situada em uma viela transversal à Cornhill serve, desde 1759, porções generosas de tortas salgadas, ensopados e sobremesas (com creme) a cavalheiros da City.

çou numa confeitaria em Pudding Lane, próxima dali. Construída por Christopher Wren e Robert Hooke, em 1671-1677, esta coluna dórica de 61 m foi projetada para servir também de instrumento científico, dispondo de um eixo utilizado como telescópio, pelo qual se pode observar o zênite (o tampo da urna, que fica no topo, cobre a abertura). Ao redor do eixo, há uma escada em espiral com 311 degraus que leva à galeria de observação, da qual se pode apreciar a vista.

BANK OF ENGLAND

No topo da Fish Hill Street, vire à esquerda e, depois do cruzamento principal, siga à direita, subindo a King William Street até o coração financeiro da City. No caminho, você passará pela igreja **St. Clement Eastcheap**, à sua direita, e em seguida pela **St. Mary Woolnoth**, também à direita. No final da rua, ao se aproximar do Bank of England, verá, à esquerda, a **Mansion House** (*ver à esquerda*), e, na direção oeste, a Queen Victoria Street, rua onde fica o restaurante **Sweetings**, ver 🍴①. Neste mesmo caminho, à direita, estão o **Royal Exchange** (*ver à direita*) e Cornhill, que levam a **Simpson's Tavern**, a leste, ver 🍴②.

Do outro lado do cruzamento, encontra-se o **Bank of England** ❺ (tel.: 020-7601 5545; <www.bankofengland.co.uk>; 2ª-6ª, 10h-17h; grátis). Projetado pelo arquiteto *sir* John Soane em 1788, o prédio tem mais espaço no porão do que nos 42 andares do prédio NatWest Tower (*ver a margem esquerda da p. 58*). Na esquina, na Bartholomew Lane, fica um museu onde são exibidas notas bancárias, barras de ouro (você poderá inclusive pegar numa delas), máquinas de cunhar moedas e exemplos de armas de fogo que, no passado, eram distribuídas a filiais de banco para sua defesa.

GUILDHALL

No final da Bartholomew Lane, vire à esquerda, para Lothbury, e siga reto até chegar, à sua direita, a **Guildhall** ❻, a prefeitura da City (tel.: 020-7606 3030; <www.cityoflondon.gov.uk>; telefone para informações sobre o horário de funcionamento; grátis). Construído a partir de 1411 no local de um antigo anfiteatro romano, este é o único prédio de pedra que sobreviveu ao Grande Incêndio de 1666. Em seu interior, há um amplo saguão medieval, com vitrais e extensas criptas.

Nos fundos fica a **Guildhall Library** (tel.: 020-7332 1868; 2ª-sáb., 9h30-17h; grátis), fundada na década de 1420 e doada por Richard Whittington, que foi prefeito da City três vezes e, mais tarde, serviu de inspiração ao personagem Dick da famosa pantomima britânica. Hoje, é uma biblioteca especializada em livros sobre a história de Londres e abriga o Museu do Relógio, onde são exibidos mais de 600 objetos de medição do tempo (tel.: 020-7332 1868; grátis).

À direita da praça está a **Guildhall Art Gallery** (tel.: 020-7332 3700; 2ª-sáb., 10h-17h; dom., 12h-16h; entrada paga). A coleção inclui obras-primas vitorianas de artistas como Millais, Leighton e Landseer, inúmeras vistas da City e o maior quadro britânico, *The Siege of Gibraltar*, de John Singleton Copley.

CATEDRAL DE SÃO PAULO

Agora desça a King Street, do lado oposto ao Guildhall, e vire na rua Cheapside, à direita. Logo adiante, à sua esquerda, verá a primeira de três igrejas construídas por sir Christopher Wren: **St. Mary-le-Bow**. Tradicionalmente, para ser um verdadeiro *cockney*

College of Arms
Ao sul da Catedral de São Paulo, no final da Godliman Street, à esquerda, acha-se o College of Arms (tel.: 020-7248 2762; visitas com reserva, 18h30, 2ª-6ª; entrada paga), que supervisiona os brasões da nobreza.

Royal Exchange
Do lado oposto da Mansion House fica o Royal Exchange, centro comercial fundado em 1565 por sir Thomas Gresham. Durante o séc. XVII, não era permitida a entrada de corretores da Bolsa por serem eles mal-educados, sendo forçados a trabalhar em outros estabelecimentos, como o Jonathan's Coffee House, na Exchange Alley, mais ao sul, que veio a ser a primeira Bolsa de Valores de Londres. Hoje, o Royal Exchange é ocupado por diversas lojas de luxo.

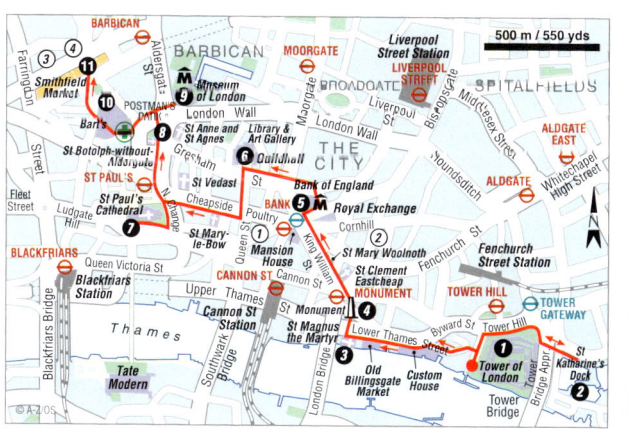

Acima, a partir da extrema esquerda: Catedral de São Paulo vista de Ludgate Hill; relógio histórico no Royal Exchange; Lloyd's, projetado por Richard Roger; Smithfield Market.

Arranha-céus da City
O edifício mais alto da City é o Tower 42 (anteriormente conhecido como NatWest Tower), no n. 25 da Old Broad Street. Projetado por Richard Seifert e construído entre 1971 e 1979, o prédio tem 183 m de altura. O segundo mais alto é o Gherkin, no n. 30 da St. Mary Axe, construído por Foster Partners em 2001-2004, com 180 m de altura. CityPoint, na Ropemaker Street, é o terceiro, com 127 m de altura, de 1967 e reformado em 2000.

(indivíduo da classe trabalhadora do leste de Londres), tem-se de ter nascido à distância de poder ouvir os sinos dessa igreja. Mais adiante, à sua direita, encontra-se a igreja **St. Vedast**. E, por fim, à sua esquerda, descendo a rua New Change, você verá **St. Paul's Cathedral** ❼ (tel.: 020-7246 8357; <www.stpauls.co.uk>; 2ª-sáb., 8h30-16h; entrada paga).

A presente catedral (a quinta neste local) foi concluída em 1708, no dia do aniversário de 76 anos de Christopher Wren, depois de a catedral anterior ter sido destruída pelo Grande Incêndio de 1666. Conta-se que, nos estágios finais de sua construção, Wren foi alçado num cesto até o caibro do telhado para inspecionar a obra. Inspirada na Basílica de São Pedro, em Roma, a edificação é rematada por um domo, sendo de 108 m a altura do chão ao topo da cúpula.

O domo abriga três galerias circulares. Subindo-se 259 degraus, chega-se à primeira delas, a Whispering Gallery, que circula o interior do domo: sussurre em qualquer parte da parede e sua voz será ouvida por qualquer pessoa que mantenha o ouvido grudado na parede ou em qualquer outro trecho à volta da galeria. Curiosamente, se você falar num tom de voz normal, o som não se transmitirá da mesma maneira. O teto é decorado com pinturas monocromáticas de cenas da vida de São Paulo, de autoria de *sir* James Thornhill. As outras duas galerias se encontram no exterior da cúpula: a Stone Gallery, a 378 degraus do chão, e a Golden Gallery, a 530 degraus do chão.

Se você não gostar de altura, então visite a cripta da catedral. Christopher Wren foi o primeiro a ser sepultado aqui, em 1723, aos 90 anos de idade. Entre as figuras famosas que se seguiram estão o duque de Wellington e o lorde Nelson.

POSTMAN'S PARK

Agora retorne à New Change, siga na direção norte, atravesse o cruzamento, continuando até chegar a St. Martin's Le Grand, que, logo em seguida, passa a se chamar Aldersgate Street. À sua direita está **St. Anne and St. Agnes**, uma igreja pouco comum por ser de tijolos, tendo sido inspirada no desenho de uma cruz grega.

Do outro lado da rua, próximo à igreja **St. Botolph-without-Aldersgate** (construída por George Dance, o Velho, em 1725), está o **Postman's Park** ❽, obra do pintor e filantropo George Frederick Watts (1817-1904). Originalmente, era um lugar popular para almoço entre os funcionários do antigo General Post Office, que ficava ali perto. Hoje é famoso por suas paredes cobertas de placas Doulton em comemoração a atos de bravura fatais feitos por cidadãos comuns da era vitoriana.

MUSEU DE LONDRES

Mais acima, na Aldersgate Street, passando o trevo, está o **Museum of London** ❾ (tel.: 0870 444 3851; <www.museumoflondon.org.uk>; 2ª-sáb., 10h-17h50, dom., 12h-17h50; grátis). Este museu cobre desde os primórdios de Londres até o final do séc. XX. Destacam-se os "biquínis" de couro dos romanos, machados usados pelos vikings nas guerras, um grande acervo de jóias Tudor, vários tipos de indumentária, quadros, além da carruagem folheada a ouro do lorde Mayor. Há, ainda, uma grande exposição audiovisual sobre o Grande Incêndio e um cenário de uma típica rua vitoriana, pela qual o visitante pode andar.

BART'S HOSPITAL

Ao sair do museu, atravesse para o lado oposto do trevo e suba a Montague Street. Vire à direita em Little Britain para entrar no complexo do hospital **Bart's** ❿. Quando sair do complexo, você dará na West Smithfield; vire à esquerda, para ver o Henry VIII Gate e a parte histórica do hospital. Fundado em 1123, o Bart's é o mais antigo hospital da Inglaterra – embora de sua estrutura medieval reste apenas a capela de St. Bartholomew-the-Less, que data do séc. XV. Cruze o primeiro pátio em direção a North Wing (Ala Norte), na praça principal, construída por James Gibb na década de 1730, que abriga o barroco **Great Hall** e o **Museum** (tel.: 020-7601 8152; 3ª-6ª, 10h-16h; grátis), onde é contada a história do hospital, além de dois fantásticos murais (1736-37) de William Hogarth, que usou pacientes do próprio hospital como alguns de seus modelos vivos.

SMITHFIELD MARKET

Saindo do hospital, do outro lado da West Smithfield, está o **Smithfield Market** ⓫, onde, desde o séc. X, vendem-se gado e carne. Em diversas épocas, o local também foi usado para torneios e execuções públicas (especialmente a de William Wallace, em 1305). Hoje, o local é ocupado pelas edificações do mercado de *sir* Horace Jones, construído a partir de 1866 acima de linhas ferroviárias, ligando fazendeiros e açougueiros por todo o país. Os *pubs* ao redor do mercado são famosos por abrirem suas portas bem cedo. Se você quiser comer ou beber algo, experimente o **Comptoir Gascon** ou o **Vinoteca**, ⑪③ e ⑪④, no lado oposto à entrada do mercado.

St. Bartholomew-the-Great
Ao sair da Little Britain na West Smithfield, repare nesta antiga igreja monástica (tel.: 020-7606 5171; entrada paga), que tem o mais belo interior em estilo Norman de Londres.

Onde comer

③ COMPTOIR GASCON
61-63 Charterhouse Street; tel.: 020-7608 0851; 3ª-sáb., almoço e jantar; ££-£££
Uma versão mais informal do Club Gascon, na West Smithfield, este bistrô oferece pratos da cozinha do sudoeste da França, preparados com tanto esmero quanto os do Club Gascon.

④ VINOTECA
7 St. John Street; tel.: 020-7253 8786; 2ª-sáb., almoço e jantar; ££-£££
Cozinha européia moderna e saborosa, com vinho servido a copo. A carta de vinhos conta com 200 rótulos (também são vendidos na loja). Recomendado.

Barbican

A noroeste do Museu de Londres encontra-se o Barbican, um complexo com 2 mil apartamentos (nos mais altos prédios residenciais de Londres), além de um teatro, uma sala de concertos, um cinema, uma galeria de arte, uma biblioteca, uma escola, uma sede da Associação Cristã de Moços (YMCA), um corpo de bombeiros e até um lago ornamental. Foi construído pelos arquitetos Chamberlain, Powell e Bom, entre 1965 e 1976, num terreno de 14 ha que fora bombardeado durante a Segunda Guerra Mundial. Apesar das inúmeras falhas do projeto – é fácil se perder pelas diversas passagens que ligam os prédios, há reclamações constantes do público, usou-se um tipo inapropriado de concreto, que requer constante manutenção –, é o melhor exemplo da arquitetura brutalista britânica; não há nada que se compare em termos de dimensão, coesão e detalhismo.

SOUTH BANK

Uma caminhada ao longo da margem sul do rio Tâmisa para conhecer algumas das mais importantes instituições culturais da cidade, bem como a Londres da época de Shakespeare e os arredores de Borough Market, área cada vez mais na moda.

DISTÂNCIA 3,5 km
DURAÇÃO Metade de um dia a um dia inteiro
INÍCIO County Hall
TÉRMINO London Bridge
OBSERVAÇÕES
Reserve cerca de metade de um dia para esta caminhada, incluindo uma parada para fazer um lanche e uma hora num dos museus mencionados. Faça-a numa sexta-feira ou num sábado, se desejar ver o Borough Market em plena atividade. Este trajeto é uma boa opção para evitar o tráfego londrino, pois a maior parte do trecho na beira do rio é feita em ruas exclusivas de pedestres.

Imperial War Museum
Neste itinerário, pode-se fazer um desvio e visitar o Imperial War Museum (Lambeth Road; tel.: 020-7416 5320; diariamente, 10h-18h; grátis, exceto para exposições especiais), instalado num antigo hospício – uma escolha apropriada para um museu que expõe os horrores das guerras na era moderna.

Se você chegar de metrô, a estação mais próxima do ponto de partida desta caminhada é Waterloo. Siga pela passagem elevada com indicação para "Southbank Centre". Ao pé dos degraus, você verá uma colossal roda-gigante à sua frente: a London Eye. Caminhe em direção a ela.

COUNTY HALL

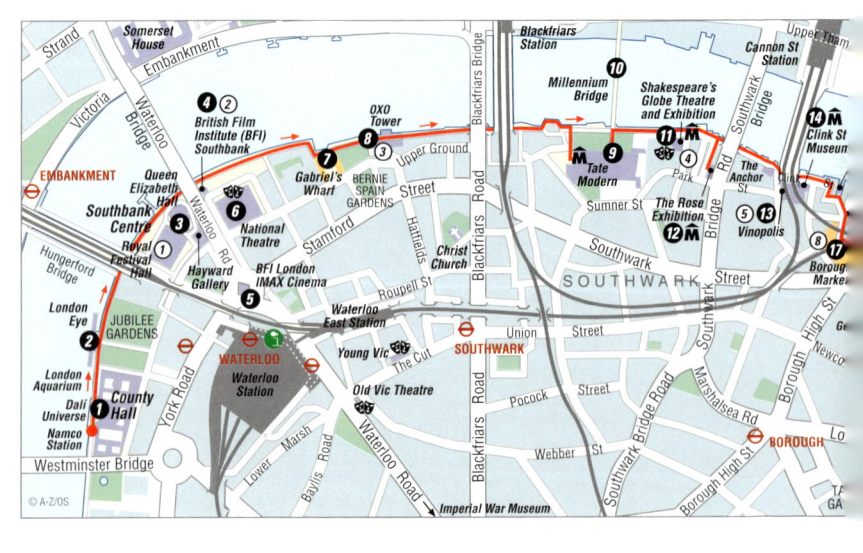

Comece em **County Hall** ❶, que você verá à sua esquerda ao chegar na London Eye. Projetado em 1908 pelo arquiteto Ralph Knott e, no passado, sede do Greater London Council (até este órgão ser extinto no governo de Margaret Thatcher em 1986, gerando muita controvérsia), este enorme edifício em estilo eduardiano renascentista é hoje uma propriedade particular e abriga dois hotéis, um aquário, uma galeria de arte, um fliperama e diversos restaurantes.

Namco Station e Dalí Universe
Seguindo ao longo do rio, na direção leste, a primeira atração é **Namco Station** (tel.: 020-7967 1067; 10h-meianoite; <www.namcostation.co.uk>), com seus carrinhos de trombada, video-games e boliche.

A próxima parada é o **Dalí Universe** (tel.: 0870-744 7485; diariamente, 10h-17h30, até mais tarde no verão; <www.countyhallgallery.com>; entrada paga), onde são exibidas 500 obras do pintor catalano Salvador Dalí. Lembre-se, porém, de que na Tate Modern (*ver p. 68*), que fica mais a leste ao longo do rio, você poderá ver quadros muito mais importantes deste artista surrealista.

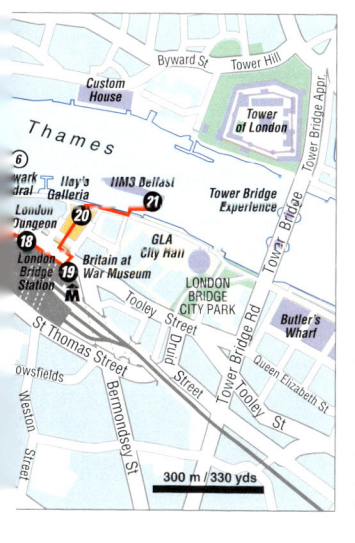

London Aquarium
O melhor programa em County Hall, especialmente para as crianças, é o **London Aquarium** (tel.: 020-7967 8000; diariamente, 10h-18h, última entrada 17h; até as 19h durante o verão; <www.londonaquarium.co.uk>; entrada paga). Entre as centenas de espécimes encontradas neste aquário, estão cerca de 350 espécies diferentes. Destacam-se os tubarões e um tanque onde você pode tocar em alguns dos animais, quando eles vêm à superfície, e, claro, assistir aos animais sendo alimentados (2ª, 4ª e 6ª, 12h-12h30 no Atlantic Tank; alimentação dos tubarões 3ª, 5ª e sáb., 14h30; entre em contato antes para confirmar os horários).

LONDON EYE

A próxima parada é a **London Eye** ❷ (tel.: 0870-990 8883; out.-mai.: diariamente, 10h-20h, jun.-set.: diariamente, 10h-21h; www.londoneye.com), a maior roda-gigante do mundo, projetada pelo casal de arquitetos David Marks e Julia Barfield.

As 32 cápsulas levam 30 minutos para fazer a volta completa, e a rotação é lenta o suficiente para permitir que os passageiros entrem e saiam das cápsulas enquanto a roda gira. Quando o céu está limpo, consegue-se ver a uma distância de 40 km. Reserve com antecedência (por telefone ou pelo site), se desejar andar nela nos períodos de pico, e, se puder, verifique a previsão do tempo antes.

SOUTHBANK CENTRE

Agora continue caminhando ao longo do rio até o **Southbank Centre** ❸

Acima, a partir da extrema esquerda: London Eye; Shakespeare's Globe; London Aquarium; atravessando a Ponte do Milênio, da Tate Modern à Catedral de São Paulo.

Acima: Dalí Universe; o cinema Imax; The Clink.

Vá às alturas
Com 135 m de altura, a London Eye é a quarta maior estrutura em Londres. O cubo e o eixo pesam juntos 330 toneladas, mais do que 40 ônibus de dois andares. Em média, cerca de 10.000 pessoas fazem diariamente o "vôo" nesta roda-gigante.

Acima, da esquerda para a direita: examinando os livros nas barracas em frente ao BFI Southbank; o cinema Imax.

Design icônico
Ao passar pela Hayward Gallery, repare na torre de néon no telhado da galeria. Encomendada a Philip Vaughan e Roger Dainton em 1970 para uma exposição sobre cinética, este vistoso marco londrino é composto de tiras de néon nas cores amarelo, carmim, vermelho, verde e azul, as quais são controladas pelas mudanças na direção e velocidade do vento.

Festival no gelo anual
No terceiro fim de semana de dezembro, é realizado um festival no Bankside (com escorregas no gelo, barracas e eventos grátis no teatro Globe), inspirado nos festivais no gelo de muitos séculos atrás, que aconteciam no rio Tâmisa, quando ele congelava.

(reservas pelo tel.: 0871 663 2500; <www.southbankcentre.org.uk>), construção em estilo brutalista, toda de concreto, e um dos maiores complexos de arte do mundo. Ao longo de sua fachada, há uma série de restaurantes (entre eles, o Giraffe – uma boa opção se você tiver filhos pequenos –, o Wagamama e o Strada), lojas de música e livrarias.

Salas de Concerto

O **Royal Festival Hall** (<www.rfh.org.uk>) é o único sobrevivente do Festival of Britain de 1951, que se destinou a levantar o moral dos londrinos depois da austeridade dos anos pós-guerra. Em 2007, o Hall sofreu uma grande reforma, que melhorou sua acústica e proveu o *foyer* de mais facilidades e de dois novos restaurantes: o **Skylon**, com vista para o Tâmisa, e o **Canteen**, no andar térreo, ver 🍴①.

Onde comer 🍴

① CANTEEN
Royal Festival Hall, SE1; tel.: 0845-686 1122; diariamente, café-da-manhã, almoço e jantar; ££
Situado nos fundos do Royal Festival Hall, este restaurante foi uma adição muito útil ao renovado Hall. Culinária britânica de boa qualidade, servida tanto do lado de dentro, que é todo branco e muito estiloso, como do lado de fora, no terraço aquecido.

② BENUGO BAR & KITCHEN
BFI Southbank, SE1; tel.: 020-7401 9000; diariamente, almoço e jantar; £–££
Este é o principal bar/restaurante do BFI Southbank, onde a decoração, em estilo cinematográfico, contrasta com a comida caseira e prática, que inclui saladas frescas, massas e sanduíches. Bom lugar para se tomar um café também.

Ao lado do Royal Festival Hall, encontram-se o **Queen Elizabeth Hall**, para concertos de música clássica, espetáculos de dança e palestras abertas ao público, com capacidade para 917 pessoas, e o **Purcell Room**, para recitais de música de câmara e de *world music*, com capacidade para 372 pessoas.

Hayward Gallery

Próximo às salas de concerto, no nível superior do complexo South Bank Centre, está a Hayward Gallery (diariamente, 10h-18h, 6ª e sáb. até as 22h; <www.hayward.org.uk>; entrada paga), uma das principais galerias de arte contemporânea em Londres.

A Hayward e o seu **Waterloo Sunset Pavilion**, projetado por Dan Graham como parte da revitalização do Southbank, ficam abertos durante e entre as principais exposições.

BRITISH FILM INSTITUTE

A seguir, há duas instituições geridas pelo British Film Institute: BFI Southbank (o antigo National Film Theatre, ou "NFT", que foi ampliado e mudou de nome) e o London Imax, que fica a cinco minutos a pé daqui, na margem sul do rio.

BFI Southbank

Junto à Hayward encontra-se o principal cinema de arte da Grã-Bretanha desde 1952, o **BFI Southbank** ❹ (tel.: 020-7928 3232; <www.bfi.org.uk>). Com três boas salas de cinema e uma outra menor e mais íntima, aqui são projetados mais de 2.400 filmes por ano e realizados diversos eventos, desde palestras dadas por estrelas de cinema a filmes mudos acompanhados de música ao vivo. O cinema abriga também uma área de pesquisa, uma loja e uma excelente "Médiathèque", onde os visitantes podem ter livre acesso aos arquivos do British Film Institute (reserve com antecedência, por telefone). Se desejar tomar um drinque antes de assistir a um filme, experimente o muito popular Film Café, na frente do prédio, com suas mesas e bancos protegidos pela Waterloo Bridge (ponte de Waterloo); se preferir um ambiente mais sofisticado, vá ao **Benugo Bar & Kitchen**, no BFI, ver ①②.

London Imax

Os cinéfilos (e quem estiver acompanhado de crianças) talvez queiram fazer um pequeno desvio e visitar o **BFI London Imax** ❺ (tel.: 0870-787 2525; <ww.bfi.org.uk>), que se ergue do meio do trevo ao sul da Waterloo Bridge.

NATIONAL THEATRE

O último edifício neste trecho é o **National Theatre** ❻ (tel.: 020-7452 3400; <www.nt-online.org>; visitas aos bastidores: 2ª sáb., 10h15, 12h30 – ou 12h15 no Olivier, nos dias de matinê – e 17h15; pago). Projetado por *sir* Denys Lasdun e inaugurado em 1976, este monstrengo de concreto abriga três teatros: o Olivier, com capacidade para 1.200 pessoas, o Lyttelton, com capacidade para 900 pessoas, e o Cottesloe (acesso pela lateral do prédio), um espaço mais íntimo, com galerias em três lados.

OXO TOWER

Depois dos teatros, você passará por **Gabriel's Wharf** ❼, uma pequena praça na beira do rio com restaurantes e lojas de presentes, e, em seguida, pelo **Oxo Tower** ❽, um edifício *art déco* que pertenceu à empresa fabricante do famoso caldo de carne Oxo, cujo arquiteto, Albert Moore, tinha idéias grandiosas para o projeto: além de construir o que viria a ser o segundo mais alto prédio comercial de Londres, ele queria utilizar luzes elétricas em cada letra do nome do produto. Quando lhe foi recusada a permissão para tal, devido à proibição de publicidade noturna durante a Segunda Guerra, Moore teve a idéia de criar janelas de 3 m de altura, cada qual

Assentos baratos
O atual diretor do National Theatre, Nicholas Hytner, tem tido êxito em seus esforços para atrair maior público ao teatro, oferecendo alguns assentos mais baratos (a partir de £10,00, inclusive para assentos na platéia) em produções patrocinadas pela Travelex. Reserve com o máximo de antecedência possível, para barganhar.

Abaixo:
Esa-Pekka Salonen regendo Matthias Goerne no Royal Festival Hall.

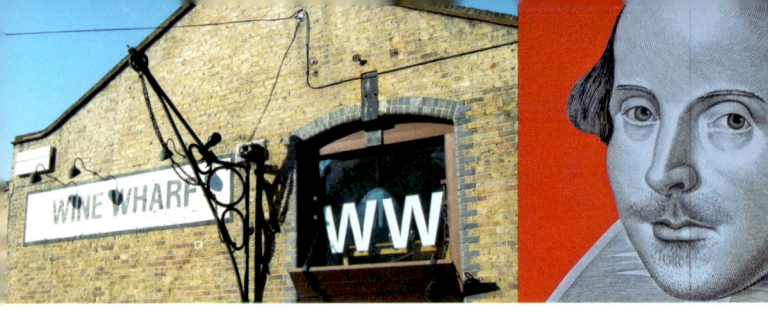

Acima, da esquerda para a direita:
Vinopolis, na Stoney Street; William Shakespeare; placa em Gabriel's Wharf; ruínas do Palácio de Winchester, na Clink Street.

Abaixo:
armazéns sob a OXO Tower.

no formato de uma letra – O, X e O –, dando para o norte, o sul, o leste e o oeste. A torre abriga vários restaurantes sofisticados, ver 🍴③.

TATE MODERN

Ao sair da passagem sob a Blackfriars Bridge, você verá à sua frente a antiga e colossal Bankside Power Station (central elétrica), onde hoje está instalada a Tate Modern ❾, que abriga o acervo de arte contemporânea internacional da Tate. Para mais detalhes, veja o itinerário TATE TO TATE (*p. 68*). Note-se que o acervo de arte britânica encontra-se rio acima, na Tate Britain, *ver p. 70*.

A PONTE DO MILÊNIO

Você verá, em frente à Tate Modern, a **Millennium Bridge** ❿, ponte para pedestres que liga à Catedral de São Paulo (*ver p. 57*). Inaugurada em 2000, foi a primeira a ser construída sobre o rio Tâmisa, no centro de Londres, depois de quase um século (desde a inauguração da Tower Bridge, em 1894).

TEATROS EM ESTILO TUDOR

Seguindo na direção leste, você chegará ao Bankside, uma das áreas mais históricas do South Bank. O bairro desenvolveu-se em competição com a City, que fica do lado oposto, porém, no séc. XVI, tornara-se um antro de depravação, famoso por seus bordéis, pelas arenas para lutas de ursos e touros contra cães, pelas lutas de boxe e por seus teatros, inclusive o Globe. Seu lugar na história é garantido especialmente por causa de sua ligação com o dramaturgo William Shakespeare.

Shakespeare's Globe

O **Shakespeare's Globe** ⓫, uma réplica do Globe Theatre original (1599), foi aberto neste local em 1996, depois de o inspirado ator americano Sam Wanamaker passar anos angariando fundos para a obra. Infelizmente, ele veio a falecer antes de ela ser concluída.

Do lado direito do teatro fica a **Shakespeare's Globe Exhibition**

(tel.: 020-7902 1500; <www.shakespeares-globe.org>; mai.-set.: diariamente, 9h-12h, out.-abr.: diariamente, 10h-17h; entrada paga), exposição permanente sobre a história da área. O **Tas Pide**, um bom lugar para almoço, fica logo em frente, ver ④.

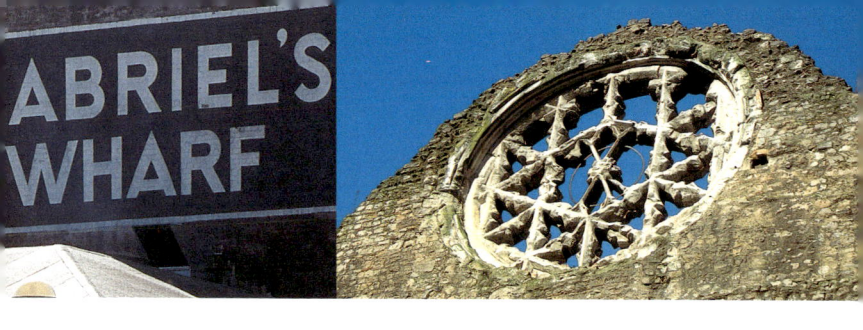

Rose Theatre

As peças de Shakespeare eram também apresentadas no Rose, o primeiro teatro do Bankside, construído em 1587. A **The Rose Exhibition** ⑫ (56 Park Street; 10h-17h, <www.rosetheatre.org.uk>) documenta a sua história.

BANK END E CLINK STREET

Em Bank End, encontra-se o *pub* The Anchor, onde muito pouco mudou em mais de 200 anos. No lado oposto da rua, nas casas-fortes sob o viaduto ferroviário, está o **Vinopolis** ⑬ (tel.: 0870-241 4040; diariamente, 12h-18h; 6ª-2ª, até as 21h, <www.vinopolis.co.uk>), que oferece passeios informativos sobre vinhos, acompanhados de degustação na loja e em seu elegante restaurante, ver ⑤.

The Clink

Na **Clink Street** encontram-se as ruínas do que, no séc. XIII, era a casa do bispo de Winchester. Os bispos foram as primeiras autoridades na Inglaterra a pôr vilões na cadeia, e a prisão que fundaram, The Clink, funcionou de 1151 a 1780. Acredita-se que seu nome advém do barulho feito pelas correntes usadas nos presos. O **Clink Street Museum** ⑭ (diariamente, 10h-18h; <www.clink.co.uk>; entrada paga) rememora o terrível passado desta área.

Golden Hinde

No final da Clink Street fica o St. Mary Overy Dock, cais onde, no passado, os paroquianos podiam desembarcar mercadorias sem ter de pagar impostos – ou afogar suas esposas, ordenando que fossem postas no "ducking stool", banco em que se amarrava o condenado, para

Onde comer

③ OXO TOWER
Oxo Tower Wharf, Barge House Street, SE1; tel.: 020-7803 3888; diariamente, almoço e jantar; £££
Alguns o acham caro demais, mas este local icônico ainda é imensamente popular. O seu maior atrativo é a vista magnífica que se tem do rio Tâmisa através de suas enormes janelas. Serve culinária inglesa moderna. Um lugar muito glamoroso para se tomar um drinque, embora não muito barato, infelizmente.

④ TAS PIDE
220-22 New Globe Walk, SE1; tel.: 020-7633 9777; diariamente, almoço e jantar; ££
Restaurante local muito apreciado e excelente também para vegetarianos. Há uma vasta seleção de *meze* (acepipes condimentados), a maioria deles vegetarianos, além de *pide* (pizza turca) e pratos principais tentadores, desde sardinhas grelhadas até carneiro kofta. Há filiais também em 72 Borough High Street (tel.: 020-7403 7200), na direção de London Bridge, e em 33 The Cut (tel.: 020-7926 2111), próximo a Waterloo.

⑤ CANTINA VINOPOLIS
1 Bank End, SE1; tel.: 020-7940 8333; diariamente, almoço e jantar; ££
Decoração no estilo de uma catedral, cozinha inglesa esmerada e, o que não é de admirar, uma excepcional carta de vinhos (mais de 150 rótulos) neste restaurante situado no desembarcadouro de vinhos.

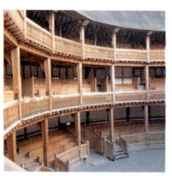

Apresentações no Globe
A temporada neste teatro ao ar livre vai de maio até o início de outubro. O teatro tem capacidade para cerca de 1.500 pessoas – 600 em pé (e sujeitas a se molharem, se chover) e o restante sentadas. Os bancos de madeira ficam um tanto desconfortáveis a partir do Ato III, mas você poderá levar almofadas ou alugá-las. Se você comprou um dos ingressos baratos para ficar de pé, leve capa de chuva, para o caso de chover; lembre-se de que é proibido o uso de guarda-chuvas no auditório durante as apresentações. Se você não puder ir assistir a uma peça, pense em conhecer o teatro num dos passeios oferecidos.

Você sabia?
A Bank Power Station – antiga central elétrica onde hoje está instalada a Tate Modern – abriu em 1963, mas só gerou eletricidade por pouco mais de 30 anos, quando foi declarada redundante.

imergi-lo na água. Neste local, hoje se encontra uma réplica do **Golden Hinde** ⑮ (tel.: 0870-011 8700; <www.goldenhinde.co.uk>; diariamente, das 10h até escurecer; entrada paga), o diminuto navio de *sir* Francis Drake.

CATEDRAL DE SOUTHWARK

Circunde a rua indo para a direita e depois pegue à esquerda, continuando ao longo da ruela e cruzando o portão para a **Southwark Cathedral** ⑯ (tel.: 020-7367 6700; <www.southwark.anglican.org>; grátis). Shakespeare freqüentava esta catedral, e um monumento em sua memória, na nave sul, mostra-o recostado à frente de um friso, que retrata Bankside no séc. XVI. John Harvard, que deu seu nome à universidade americana, foi batizado aqui e é comemorado na Harvard Chapel.

Recitais de órgão são realizados na catedral às segundas-feiras (13h10-13h50, grátis), enquanto os concertos clássicos ocorrem às terças-feiras (15h15-16h, grátis). O refeitório, ver 🍴⑥, é um lugar aconchegante para refeições ligeiras.

BOROUGH MARKET

No pátio coberto da catedral, encontra-se um outro destaque da área: o **Borough Market** ⑰, mercado que data do séc. XIII, onde os produtos são vendidos por atacado. Às quintas, sextas e sábados, há uma feira muito popular onde se vendem produtos *gourmet* e orgânicos a varejo. Além de alimentos básicos como frutas, legumes, pães e queijos, você encontrará barracas especializadas em carnes de caça, frutas secas, nozes, azeites de oliva, vinagres, bolos, compotas, produtos ecologicamente corretos, vinhos e cervejas.

Muitas das barracas no mercado permitem que se provem os produtos, e várias delas vendem comida pronta. **Tapas Brindisa**, ver 🍴⑦, no lado sudoeste do mercado, serve comida espanhola de excelente qualidade. Uma outra ótima opção é o **Roast**, ver 🍴⑧.

Acima, de cima para baixo: pimentas-malagueta, o excelente restaurante Roast e queijos no Neal's Yard Dairy, todos eles dentro ou perto do Borough Market.

Onde comer

⑥ SOUTHWARK CATHEDRAL REFECTORY
Southwark Cathedral, London Bridge, SE1; tel.: 020-7407 5740; diariamente, café-da-manhã, almoço e lanche da tarde; £-££.
Restaurante nos fundos da catedral, onde se servem sopas e pratos principais fartos e acessíveis. No verão, o terraço é um bônus e também servem café-da-manhã, café e bolos no meio da manhã e lanches à tarde (8h30-17h).

⑦ TAPAS BRINDISA
18-20 Southwark Street, SE1; tel.: 020-7357 8880; 6ª-sáb., café-da-manhã, almoço e jantar; 2ª-5ª, almoço e jantar; £££
Este refinado restaurante, que é ligado a uma das mais concorridas barracas do mercado, está sempre cheio devido à sua autêntica comida espanhola e ao seu ambiente alegre. O único problema é que não fazem reservas.

⑧ ROAST
Floral Hall, Stoney Street, SE1; tel.: 020-7940 1300; 2ª-sáb., café-da-manhã, almoço e jantar; dom, jantar; £££/££££; menu fixo (2ª-6ª) ££
Com sua privilegiada localização no andar superior do Borough Market, este restaurante oferece vistas belíssimas através de suas janelas. A comida deliciosa, toda ela comprada no mercado, é decididamente britânica e inclui uma suculenta galinha orgânica e robustas tortas de carne de caça. O café-da-manhã é excelente (2ª-6ª, até as 9h30, e até mais tarde nos fins de semana). Uma boa maneira de ter um jantar sofisticado pela metade do custo de um almoço ou jantar.

NO CAMINHO PARA TOWER BRIDGE

A estação London Bridge, onde você poderia terminar esta excursão, fica ao lado. Se você ainda tiver energia para caminhar por mais tempo, continue na direção leste, ao longo de Tooley Street, até os n. 28-34, onde encontrará o **London Dungeon** ⓲ (tel.: 020-7403 7221; <www.thedungeons.com>; set.-jun.: diariamente, 10h-17h30, jul. e ago.: diariamente, 9h30-18h30; entrada paga). O passeio, conduzido por atores e com duração de 1 1/2 hora, inclui exposições macabras sobre a Morte Negra; o Grande Incêndio de 1666; as perversidades de Jack, o Estripador; os atos horripilantes do barbeiro Sweeney Todd; um passeio de barco até o inferno, em que os visitantes passam pelo Traitor's Gate (Portão dos Traidores), antes de serem condenados num tribunal; e Extremis, uma montanha-russa.

Não é recomendado para crianças menores de 8 anos. Mesmo os menores de 15 anos têm de ser acompanhados por um adulto. Reserve com antecedência.

Ao lado fica o **Winston Churchill's Britain at War Museum** ⓳ (<www.britainatwar.co.uk>; out.-mar.: 10h-17h, abr.-set.: 10h-18h, última entrada 1 hora antes de fechar; entrada paga), onde é recriado o ambiente da Blitz.

Hay's Galleria

Agora atravesse a rua para ir a Hay's Wharf. No séc. XIX, clíperes vindos da Índia e da China com carregamentos de chá atracavam aqui; hoje o cais está reformado e foi renomeado **Hay's Galleria** ⓴, onde se espalham várias lojas elegantes, que incluem uma livraria, diversas butiques, uma filial da rede de farmácias Boot e alguns restaurantes. Repare a escultura aquática *The Navigators*, de David Kemp, no centro do pátio, e o campo de *boules* adjacente.

HMS Belfast a Tower Bridge

Se desejar continuar a caminhada, siga na direção leste ao longo do rio, onde você verá o cruzador *HMS Belfast* ㉑ (tel.: 020-7940 6300; diariamente, 10h-18h, <www.hmsbelfast.org.uk>; entrada paga), que operou na Segunda Guerra Mundial. O passeio pelo cruzador abrange as casas de máquina, as apertadas acomodações de sua tripulação de 950 pessoas e filmes.

Deste ponto, se você continuar caminhando na direção leste, chegará a Tower Bridge, onde poderá cruzar a ponte e fazer o itinerário 9 (*ver p. 55*), ou, então, retornar a London Bridge e pegar o metrô.

Acima, da extrema esquerda para a direita: Hay's Galleria; Catedral de Southwark; vendedor de queijos no Borough Market; a parte central da Tower Bridge levantada, para permitir a passagem de um navio de grande porte.

Aconchego máximo
Na esquina de Winchester Walk com Stoney Street, repare o diminuto *pub* Rake, que, segundo dizem, é o menor *pub* londrino.

Pubs Locais

Ainda há muitos *pubs* em Southwark, área que, historicamente, nunca se caracterizou pela sobriedade. O George Inn (77 Borough High Street), mencionado por Charles Dickens em *A pequena Dorrit* e que hoje pertence ao National Trust, é o único *pub* londrino antigo que ainda mantém uma cocheira. O Market Porter (9 Stoney Street) é famoso por abrir das 6h às 8h30, para servir os feirantes do Borough Market. O Anchor (34 Park Street), que fica na beira do rio, existe neste local há cerca de 800 anos e tinha como habitués o memorialista Samuel Pepys e, mais tarde, dr. Samuel Johnson.

TATE MODERN E TATE BRITAIN

Visite a Tate Modern, um dos mais inovadores museus de arte moderna do mundo; em seguida, suba o rio Tâmisa num catamarã até a Tate Britain, para um panorama da arte britânica ao longo dos séculos.

DISTÂNCIA 3,5 km sem incluir a distância a ser coberta nas galerias
DURAÇÃO Um dia inteiro
INÍCIO Tate Modern, Southwark
FIM Tate Britain, Pimlico
OBSERVAÇÕES
Sugerimos que você compre o ingresso para a viagem de barco ao chegar à Tate Modern, de modo que possa passar a manhã no Bankside, pegar o barco para Pimlico, almoçar e depois passar a tarde na Tate Britain. Ou, então, combinar este passeio com o itinerário 10, para conhecer também o South Bank.

Falcões Peregrinos
Nos últimos verões, falcões peregrinos têm se empoleirado na chaminé de 99 m de altura da Tate Modern, quando não estão no ar caçando seu almoço. Os conservacionistas de pássaros montaram seus telescópios lá embaixo, para que o público possa observá-los.

Hoje existem duas galerias Tate em Londres e duas fora de Londres: em Liverpool e em St. Ives. As fundações da Tate original foram erguidas por Henry Tate, sendo a galeria inaugurada em 1897 como uma divisão da National Gallery. A coleção hoje abrange também quadros modernos e contemporâneos internacionais que pertencem à nação.

TATE MODERN

O trajeto tem início na margem sul do rio Tâmisa, na **Tate Modern** ❶ (tel.: 020-7887 8888; <www.tate.org.uk>; dom-5ª, 10h-18h; 6ª e sáb., 10h-22h; grátis, exceto para exposições especiais). As estações de metrô mais próximas são London Bridge e Southwark (na margem sul do rio) e Blackfriars (na margem norte), todas elas a 10 minutos a pé da galeria. Os postes de luz entre o metrô Southwark e a galeria estão pintados da cor laranja para sinalizar o caminho para os visitantes.

O edifício
Em 1998, a Tate tomou a decisão extravagante de adquirir a Bankside Power Station, uma central elétrica desativada, e os arquitetos suíços Herzog & de Meuron venceram a concorrência para transformá-la numa galeria de arte. Foi mantido o aspecto

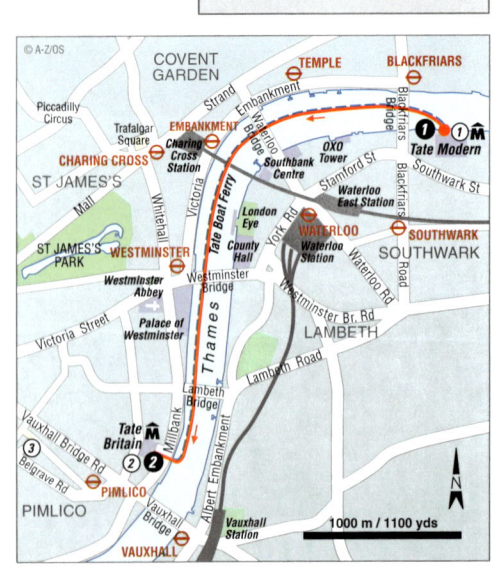

industrial da estrutura de tijolos original, projetada por *sir* Giles Gilbert Scott, e construída em duas fases entre 1947 e 1963, assim como o imenso Turbine Hall, para abrigar instalações artísticas de grande porte. As enormes janelas do prédio foram reabertas, e foi instalada uma iluminação no topo da colossal chaminé principal.

A coleção

A coleção permanente da Tate Modern é exibida em quatro conjuntos de salas, nos pisos 3 e 5, e enfoca os movimentos artísticos mais importantes na história da arte do séc. XX: surrealismo, minimalismo, abstracionismo do pós-guerra, e os três movimentos interligados: cubismo, futurismo e vorticismo. A coleção está organizada em seções temáticas. As galerias no piso 4 exibem mostras temporárias. Há também um restaurante no piso 7, ver ①.

Piso 3

No piso 3 está a seção "Material Gestures", que tem como foco pinturas e esculturas abstratas do pós-guerra, tanto européias como americanas, juntamente com as de seus precursores e sucessores. As obras de Barnett Newman e Anish Kapoor encontram-se lado a lado, assim como quadros de Claude Monet e Mark Rothko. O expressionismo abstrato é mostrado no contexto do expressionismo figurativo que o antecedeu. Merece especial atenção a sala dedicada aos sombrios *Seagram Murals* (1958-1959), de Rothko, originalmente encomendado para um restaurante no Seagram Building, em Park Avenue, Nova York. A seção seguinte, "Poetry and Dream", dedica-se ao surrealismo, mostrando as diversas técnicas e estilos de Miró, Ernst, Dalí, Magritte, Klee e Man Ray. A influência exercida por eles é, então, buscada em Picasso e Pollock, Francis Bacon e Joseph Beuys, Cindy Sherman e Gillian Wearing, bem como em filmes, em revistas e na arte performática.

Piso 5

Este piso começa com a seção "Idea and Object", em que é examinada a reação à arte pictórica subjetiva e expressionista do pós-guerra. A objetividade e impessoalidade passam a ser abraçadas com todas as idéias do minimalismo, do conceitualismo e do utopianismo a elas associadas, bem como a mudança de *status* de artistas e do público. Note aqui a pilha de tijolos (1966) de Carl Andre, o mictório de Marcel Duchamps, *Fountain* (1917) e as caixas de Bombril (1964), de Andy Warhol.

A última seção, "States of Flux", é dedicada ao cubismo, ao futurismo e ao vorticismo. Além de exemplos clássicos desses estilos, a influência que exerceram aparece em várias formas de arte, desde o design gráfico da Rússia stalinista às colagens do pop art.

> **Onde comer**
> ① **TATE MODERN RESTAURANT**
> Level 7, Tate Modern, Bankside; tel.: 020-7401 5018; dom.-5ª, almoço; 6ª e sáb., almoço e jantar (último pedido 21h30); £££
> Vista fantástica de Londres, agradavelmente movimentado e freqüentado por um público estiloso. A especialidade da casa é o peixe fresco da Cornuália. O café no piso 2, próximo à livraria, é uma outra opção para o almoço e mais barata.

Acima, a partir da esquerda: o artista Damien Hirst e o diretor da Tate, Nicholas Serota, à frente da obra *Mother and Child Divided 2007*, de Hirst, na Tate Britain; vista que se tem da Tate Modern sobre o Tâmisa, a Ponte do Milênio e a Catedral de São Paulo; examinando obras expostas na Tate Modern; o Turbine Hall.

Turbine Hall
Este imenso hall tem quatro andares e é usado para obras especialmente encomendadas a artistas contemporâneos. Em 2000, abrigou a enorme escultura na forma de uma aranha, Maman, I Do, I Undo, I Redo, criada por Louise Bourgeois. Em 2003, Olafur Eliasson criou um sol, um céu e uma névoa artificiais, com seu *The Weather Project*. Em 2006, Carsten Höller construiu o seu Test Site – escorregas em espiral do topo ao chão do hall, pelos quais os visitantes podiam deslizar. Em 2007, Doris Salcedo criou Shibboleth, que consistia numa rachadura ao longo de todo o chão de concreto.

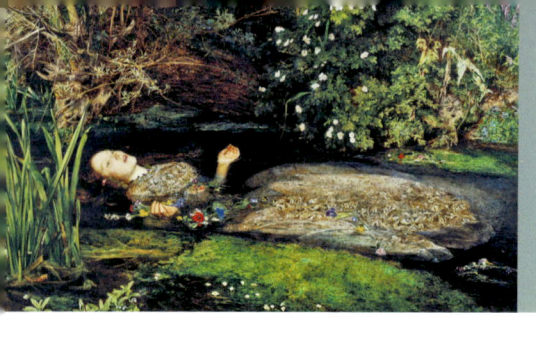

Acima, a partir da esquerda: *Ophelia* (1851-52), de John Everett Millais, um dos destaques da mostra "Millais" na Tate Britain, em 2007-08, e também parte de sua coleção permanente; sinalização para o barco.

Prêmio Turner
A premiação anual mais prestigiosa e controversa do país é geralmente realizada na Tate Britain. Muitos criticam a predileção da banca julgadora por artistas conceituais. Em 2002, o ministro da Cultura, Kim Howells, quando de sua visita à exposição dos artistas indicados para o prêmio, comentou: "Se isto é o melhor que os artistas britânicos conseguem produzir, então a arte britânica está perdida", arrematando com um expletivo e censurando os artistas conceituais por sua "falta de convicção". Outros, no entanto, são de opinião de que o prêmio ajuda a dar maior destaque à arte britânica.

BARCO QUE LEVA DE UMA TATE A OUTRA

O **Tate Boat** sai de 40 em 40 minutos, durante o horário de funcionamento da galeria, indo e vindo da Tate Britain à Tate Modern e parando na London Eye no caminho.

Os ingressos podem ser comprados na Tate Modern e na Tate Britain, bem como pela internet ou pelo tel.: 020-7887 8888 ou, ainda, no próprio barco, quando disponíveis.

Você embarca num pequeno píer em frente à Tate Modern e é levado até o píer de Millbank, em frente à Tate Britain, num catamarã com 220 assentos, projetado e decorado pelo artista Damien Hirst. Esse novo píer foi projetado pelos arquitetos David Marks e Julia Barfield, que também projetaram a London Eye. O projeto de iluminação do barco é de autoria da artista Angela Bulloch, que foi indicada para o Prêmio Turner de 1997. Os tubos de luz fosforescente embutidos no chão do barco são programados por computador para produzir efeitos de luz variados na embarcação à noite.

TATE BRITAIN

A **Tate Britain** ❷ (Millbank; tel.: 020-7887 8000; <www.tate.org.uk>; diariamente, 10h-17h50; grátis, exceto para exposições especiais), situada em Pimlico, é a Tate Gallery original e abriga a coleção nacional de arte britânica de 1500 aos dias de hoje. Aberta em 1897, foi projetada por Sydney Smith em estilo clássico e construída no terreno de uma prisão.

A coleção permanente está quase toda reunida num único andar (piso 2) e é basicamente organizada de forma cronológica. Ao entrar na casa pelo pórtico de entrada em Millbank, há uma sucessão de corredores grandiosos, com galerias à esquerda e à direita.

Arte de 1350 a 1800

Ao cruzar o trecho em forma de octógono que leva ao corredor até o fundo, você verá, à sua esquerda, a sala 1 (Room 1), onde inicia a cronologia. Aqui estão expostas esculturas de alabastro inglesas de c.1350 a 1450, e, na sala ao lado, retratos das eras Tudor e Stuart. Repare no retrato (c.1575) da rainha Elizabeth I num de seus vestidos bordados com pedras preciosas, do pintor Nicholas Hilliard.

As salas seguintes cobrem os sécs. XVII e XVIII com retratos glamorosos de Van Dyck, sátira social de Hogarth e retratos de membros da aristocracia e cenas alegóricas de pintores como

---

Onde comer
② **REX WHISTLER RESTAURANT**
Ground floor, Tate Britain; tel.: 020-7887 8825; 2ª-6ª, almoço; sáb. e dom., café-da-manhã, almoço e lanche da tarde; £££
O restaurante principal da galeria, que é interessante por seu mural *The Expedition in Pursuit of Rare Meats* (1927), de Rex Whistler, serve comida inglesa contemporânea e refinada. Ao lado, há uma cafeteria, onde a comida é mais barata.

③ **GRUMBLES**
35 Churton Street, Pimlico; tel.: 020-7834 0149; diariamente, almoço e jantar; ££
Bistrô aconchegante nos arredores, com menus fixos a preços razoáveis no almoço e inicio da noite (18h-19h). Carne assada aos domingos.

Gainsborough, Reynolds, bem como de uma das poucas pintoras da época, Angelica Kauffman.

Romantismo e Arte Vitoriana

As salas 7 a 11 são dedicadas à transição da estética clássica para a romântica, evidenciada principalmente nas pinturas cujo tema é o mundo físico. Há aqui uma vasta coleção de paisagens de John Constable, enquanto as paisagens marítimas de J. M. W. Turner encontram-se numa ala do museu (ala leste) especialmente dedicada a elas, a Clore Gallery (*ver abaixo*).

As salas seguintes abrigam uma rica coleção de pinturas vitorianas, com seu conteúdo narrativo e detalhismo obsessivo. Aqui também estão os quadros dos pré-rafaelistas, que criaram pinturas extremamente realistas em cores puras e brilhantes. Um dos quadros mais populares da galeria é o romântico *Ophelia* (1851-1852), de Millais.

Arte Moderna

No lado leste da galeria, estão as salas dedicadas à arte britânica do séc. XX, abrangendo não só os movimentos distintos como o vorticismo e a pop art e grupos como os de Camden Town e St. Ives, mas também grandes mestres da pintura moderna que não se encaixam facilmente em categorias, entre eles: Stanley Spencer, Francis Bacon e Lucian Freud.

Ao terminar este seu estudo da arte britânica, siga para o restaurante no térreo, veja 🍴②, ou, então, vá ao sempre confiável **Grumbles**, veja 🍴③, que fica numa transversal à Belgrave Road, ao norte da estação de metrô Pimlico.

Acima, a partir do centro: Henry Tate; o dramático *Snow Storm: Steam-Boat off a Harbour's Mouth*, de Turner.

Tate até tarde

Na primeira sexta-feira de cada mês, a Tate Britain fica aberta até as 22h, e o ingresso é vendido pela metade do preço. Há também uma excelente programação, que inclui apresentações, shows musicais, palestras e filmes, que tende a ser muito concorrida, portanto, chegue cedo, para fazer fila e conseguir os ingressos grátis.

O Legado de Turner

Ao morrer, em 1851, Joseph Mallord William Turner (1775-1851), nascido em Londres, na Maiden Lane, em Covent Garden, onde se encontra uma placa comemorando o fato, legou à nação britânica uma grande soma de dinheiro e seu acervo de 20.000 quadros e desenhos, expressando o desejo de que fosse construída uma galeria especial para abrigá-los. Isso só veio a acontecer em 1987, ao ser inaugurada, adjacente à Tate Britain, a Clore Gallery, projetada pelo arquiteto britânico James Stirling. Entretanto, contrariando o desejo de Turner, até hoje existem quadros seus em outras coleções. Entre as obras-primas aqui exibidas estão *Peace – Burial at Sea*, que mostra a mestria do artista em retratar o efeito dos objetos sobre a luz, e não o contrário, e *Snow Storm: Steam-Boat off a Harbour's Mouth*, que espelha o fascínio de Turner pelas poderosas forças da natureza. Para obter o sensacional efeito que conseguiu neste último, Turner diz no subtítulo que "O Autor se encontrava nesta tempestade na noite em que o *Ariel* partiu de Harwich", tendo ele sido, a seu pedido, amarrado ao mastro do navio.

TATE BRITAIN **71**

HYDE PARK

No Dia do Trabalho do ano 1660, Samuel Pepys escreveu em seu diário: "Como fazia um dia lindo, senti vontade de estar no Hyde Park". Três séculos e meio mais tarde, no coração de uma Londres muito diferente, as pessoas ainda sentem exatamente o mesmo.

> **DISTÂNCIA** 4,5 km
> **DURAÇÃO** Metade de um dia
> **INÍCIO** Apsley House
> **FIM** Estação de metrô Queensway tube
> **OBSERVAÇÕES**
> As pessoas com mobilidade limitada podem reservar um *buggy* elétrico, conduzido por um voluntário (tel.: 07767 498096; mai.-out.: 3ª-6ª, 10h-17h).

Speakers' Corner

Desde o séc. XVIII, as pessoas se reúnem neste canto no noroeste do parque para expressar suas opiniões. Antes disso, era o local da árvore pendente em que, desde o séc. XII, se executavam pessoas. O direito de fazer comícios aqui foi legalmente formalizado em 1872. Entre os oradores famosos estão: Karl Marx, Friedrich Engels, Vladimir Lênin, William Morris, George Orwell e os Pankhursts. Em 2003, mais de um milhão de pessoas protestaram aqui contra a Guerra do Iraque, o maior comício em toda a história do Speakers' Corner.

Árvore de cabeça para baixo

Perto dos jardins de roseiras está uma árvore chorona, *Fagus sylvatica pendula*, carinhosamente chamada de "the upside-down tree" (a árvore de cabeça para baixo).

O Hyde Park foi aberto ao público em 1637 por Carlos I. Anteriormente, fora um parque de veados onde Henrique VIII caçava e, antes disso, pertencera à Abadia de Westminster, desde antes da Conquista Normanda.

Quando William III deixou o Palácio de Whitehall e se mudou para o Palácio de Kensington em 1689, Kensington Gardens, terreno adjacente ao parque, foi separado do Hyde Park para ser parte do palácio. Hoje, todos os 253 ha do parque estão novamente abertos ao público.

Onde comer
① THE DELL CAFÉ
Lado sul do lago Serpentine; tel.: 020-7706 7098; diariamente, no verão, 9h-20h, no inverno, 9h-16h; £-££
Pavilhão com terraço, voltado ao Serpentine, para jantares durante o verão. Serve refeições simples e lanches.

APSLEY HOUSE

O trajeto tem início na **Apsley House** ① (tel.: 020-7499 5676; 3ª-dom., abr.-out., 10h-17h; nov.-mar., 10h-16h; entrada paga), perto da saída 1 da estação de metrô Hyde Park Corner. Conhecida, no passado, como n. 1 Londres, por ser a primeira casa depois da barreira em Knightsbridge, foi residência do duque de Wellington de 1817 até a sua morte em 1852; e, até hoje, parte da casa ainda é residência de seus descendentes.

A casa foi projetada pelo arquiteto Robert Adam e construída entre 1771 e 1778. Ao passar para o duque de Wellington, a casa ainda tinha a fachada original de tijolos revestida de pedras, e o pórtico e as colunas foram adicionados. Entretanto, grande parte do interior original ainda sobrevive, inclusive a escadaria, a sala de estar e o pórtico.

A casa era usada para grandes eventos, inclusive, o suntuoso serviço de jantar está em exibição.

Com a sua vitória em Waterloo, o duque foi extensamente presenteado com louças e porcelanas, quadros, escultura e candelabros, como prova de gratidão. A coleção de arte inclui obras de Goya, Rubens, Corregio e Brueghel. Um presente que ele talvez devesse ter recusado é a estátua de 3,4 m de altura de Napoleão nu, que ocupa o poço da escadaria.

HYDE PARK

Entre no **Hyde Park** ❷ (tel.: 020-7298 2100; <www.royalparks.org.uk>; diariamente, 5h-meia-noite; grátis) pela **Triumphal Screen**, à esquerda da Apsley House. Esta entrada monumental foi encomendada a Decimus Burton pelo rei George IV nos anos 1820, juntamente com o Wellington Arch, que mais tarde foi transferido para o centro do trevo.

Se você tiver a sorte de se encontrar aqui no meio da manhã, vale a pena aguardar neste ponto a saída da Cavalaria Real de seus quartéis na South Carriage Drive, às 10h30 todas as manhãs (9h30 aos domingos), e vê-la cavalgando pelo parque até a Horse Guards Parade, para a troca da guarda. A outra rua que vai de leste a oeste e converge em Hyde Park Corner é **Rotten Row** – uma corruptela do francês *Route du Roi* (Rota do Rei) – o caminho usado pelo rei para ir do Palácio de Kensington a Westminster. Foi a primeira rua na Inglaterra a ser iluminada à noite – por 300 lamparinas. O Palácio de Cristal, a impressionante edificação em ferro e vidro da Great Exhibition de 1851, situava-se entre estas duas ruas. (Depois da exposição, foi transferido para Sydenham Hill, no sudoeste de Londres, mas, infelizmente, pegou fogo em 1936.)

O lago Serpentine

Agora pegue a Serpentine Road, a noroeste, passando pelo coreto, à sua direita, e pelos jardins de roseiras, à sua esquerda, e siga em direção à margem sul do **Serpentine** ❸. Este lago foi criado pela rainha Caroline, em 1730, represando o rio Westbourne, e adquiriu má reputação em dezembro de 1816, quando a mulher do poeta Shelley, que estava grávida, cometeu suicídio atirando-se em suas águas geladas; Shelley se casou com Mary Wollstonecraft Godwin duas semanas mais tarde. Hoje, o lago tem seu próprio clube de natação e é o cenário de uma famosa corrida de 90 m que

Acima, a partir da esquerda: o frondoso Hyde Park; Speakers' Corner.

Abaixo: coroas comemorativas; a Cavalaria Real, no Hyde Park.

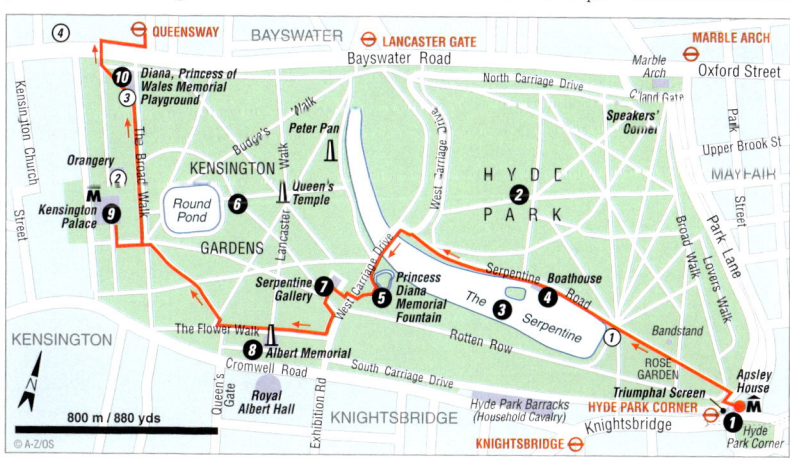

Patinação no gelo
Todo ano em dezembro é instalado no Hyde Park um rinque para patinação no gelo. No verão, os patinadores de patins de rodas se reúnem em massa no coreto (às quartas, 19h30).

Templo da Rainha
O Queen's Temple fica a noroeste da Serpentine Gallery, à sua direita (construído em 1734-35 por William Kent). Mais adiante, há uma estátua, *Physical Energy*, de G. F. Watts (1907).

acontece no dia de Natal (tel.: 020-7706 3422; <www.serpentinelido.com>), quando os imprudentes se jogam em suas águas frias.

À sua esquerda, ao se aproximar do lago, está o **Dell Café**, ver ②① (*p.72*), e, mais adiante, a **Boathouse** ❹, onde, de março a outubro, se pode alugar barco a remo e pedalinho ou fazer um passeio na barca movida à energia solar.

Continuando por aqui, você chegará à fronteira entre o Hyde Park e o Kensington Gardens, na West Carriage Drive. Vire à esquerda, passando pela Powder Magazine, e atravesse a ponte, projetada por John Rennie em 1826.

À esquerda na rua do outro lado da ponte está o **Princess Diana Memorial Fountain** ❺, projetado pela arquiteta americana Kathryn Gustafson. Este original chafariz infelizmente foi alvo de controvérsias desde a sua inauguração, em 2004, em razão de seu custo inicial (£3.6 milhões) e do custo da manutenção e supervisão constantes que ele exige.

Onde comer

② THE ORANGERY
Kensington Gardens; tel.: 020-7166 6112; diariamente, café-da-manhã e almoço, 10h-18h; até as 17h no inverno; £-££
Refeições leves e chá da tarde. Mesas ao ar livre no verão.

③ BROADWALK CAFÉ
Kensington Gardens; tel.: 020-7034 0722; diariamente, café-da-manhã, almoço e jantar, no verão; café-da-manhã e almoço, no inverno, 10h-16h; £
Ideal para crianças. Serve saladas, pizzas, frutas, iogurtes e sorvetes.

④ CAFÉ DIANA
5 Wellington Terrace, Bayswater Road; tel.: 020-7792 9606; diariamente, café-da-manhã, almoço e jantar (cedo), 10h-18h; £-££
As paredes são cobertas de fotos da princesa. Serve uma grande variedade de petiscos, bem como café-da-manhã o dia todo e alguns pratos da cozinha árabe.

KENSINGTON GARDENS

Atravesse a West Carriage Drive e você dará em **Kensington Gardens** ❻ (tel.: 020-7298 2141; <www.royalparks.org.uk>; diariamente, das 6 da manhã até entardecer; grátis).

Galeria Serpentine

Siga pela trilha transversal à rua, em direção à **Serpentine Gallery** ❼ (tel.: 020-7402 6075; www.serpentinegallery.org.uk; diariamente, 10h-18h; grátis). Este pavilhão de 1934, em estilo clássico, apresenta importantes exposições de arte moderna e contemporânea. Toda primavera, um arquiteto renomado (Daniel Libeskind, Rem Koolhaas etc.) é designado para construir um pavilhão temporário adjacente a ele (jun.-set.).

Albert Memorial

Agora siga as placas ao longo da trilha a sudoeste, em direção ao **Albert Memorial** ❽, encomendado pela rainha Vitória em memória de seu querido marido, o príncipe Alberto, que morreu de tifo em 1861. O monumento, em estilo gótico, projetado por *sir* George Gilbert Scott e inaugurado em 1872, tem como peça central uma estátua do príncipe folheada a ouro, apoiada num friso de mármore branco em que estão retratados 187 poetas e pintores. O príncipe tem nas mãos um catálogo da Great Exhibition de 1851 e está cercado de imensas representações dos continentes. A agulha, de 55 m, é incrustada de pedras semipreciosas.

Do outro lado da rua está o **Royal Albert Hall** (tel.: 020-7589 3203; <www.royalalberthall.com>), que foi inaugurado em 1871 e é hoje uma sala de espetáculos, onde também são realizados os Proms (festival de música clássica) todo verão.

Palácio de Kensington

Para ir ao **Kensington Palace** ❾ (tel.: 020-7937 9561; <www.hrp.org.uk>; diariamente, mar.-out., 10h-18h; nov.-fev., 10h-17h; entrada paga), continue andando na direção oeste e pegue uma trilha à sua direita, indo na direção noroeste. A mansão passou às mãos da realeza em 1689, quando William III a comprou na esperança de que o ar campestre aliviasse a sua asma. Nessa época, foram construídas algumas extensões por *sir* Christopher Wren e, mais tarde, por William Kent, para George I. Desde então, ela foi habitada por vários membros da realeza, em especial pelo mais ilustre deles, a princesa Diana, que aqui residiu até a sua morte, em 1997. Atualmente é a residência oficial de alguns membros da família real, entre eles: o príncipe e a princesa Michael of Kent.

Em seu interior, os pontos altos incluem a exposição *Ceremonial Dress Collection*, uma coleção de 14 vestidos da princesa Diana, além de vários modelos luxuosos usados pela realeza em cerimônias oficiais, e a impressionante Escadaria do Rei, cujas paredes foram pintadas por William Kent, cortesão do rei George I. Repare nos retratos do pajem-engraxate do rei, Ulric, nos servos turcos Mahomet e Mustapha, em Peter, "o menino selvagem" – a criança encontrada numa floresta na Alemanha – , e no auto-retrato do artista, com a amante a seu lado, olhando para baixo.

Os jardins do palácio

Do lado de fora do palácio, ao leste, próximo à trilha pela qual você entrou, está o jardim holandês e, do lado oposto da trilha, uma estátua da rainha Vitória esculpida por sua filha, a princesa Louise, para celebrar os cinqüenta anos de reinado da mãe.

Ao norte fica a **Orangery** projetada por Hawksmoor, onde a rainha Ana gostava de tomar seu chá – e você poderá fazer o mesmo, ver 🍴②. Mais adiante está o **Diana, Princess of Wales Memorial Playground** ❿, parquinho em memória da princesa, onde as crianças poderão se soltar. E, quando elas se cansarem de brincar no imenso navio pirata no meio do parquinho, há um outro café, ver 🍴③, onde são servidos sorvetes e bolos.

Por fim, saia do parque pelo Orme Square Gate, a noroeste, que é a única saída depois das 17h (16h no inverno). Uma vez na Bayswater Road, vire à direita, para a estação de metrô Queensway, ou à esquerda, para o **Café Diana**, ver 🍴④.

Acima, a partir da extrema esquerda: chafariz em memória da princesa Diana; folhas outonais; Albert Memorial; Royal Albert Hall.

Equitação

O parque é bem adaptado para a equitação, com uma área ("Manege") designada para tal, bem como duas trilhas de cavalos. Se você desejar cavalgar, contate Stanhorse Riding (Hyde Park and Kensington Stables, 63 Bathurst Mews, Lancaster Gate; tel.: 020-7723 2813; <www.hydeparkstables.com>; verão: diariamente, 7h15-17h; inverno: diariamente, 7h15-15h; pago).

Peter Pan

Da Serpentine Gallery, caminhe na direção norte e verá uma estátua de Peter Pan numa clareira próxima ao lago Long Water. Era aqui que os filhos dos Llewelyn Davies, que inspiraram as histórias de Peter Pan, eram trazidos para brincar pelo autor J. M. Barrie (que se tornara co-guardião das crianças após a morte dos pais). Numa das histórias, Peter Pan voa de seu quarto e aterrissa na beira do lago Long Water, no local onde hoje se encontra a estátua. A escultura é de *sir* George Frampton e foi ali assentada em primeiro de maio de 1912, no meio da noite, para surpreender as crianças que fossem brincar no parque no dia seguinte.

SOUTH KENSINGTON E KNIGHTSBRIDGE

Um museu de artes decorativas, um museu de história natural e um museu de ciências – o rico legado dos vitorianos – são os destaques enriquecedores deste itinerário, depois dos quais você poderá fazer uma visita bem menos edificante – ao Harrods –, a loja mais famosa de Londres.

Palácio de Cristal
O projeto de Joseph Paxton para um palácio de cristal foi inscrito tardiamente no concurso para escolher uma estrutura adequada para abrigar a Grande Exposição. Na verdade, Paxton não tinha formação profissional em arquitetura e havia sido paisagista do duque de Devonshire.

DISTÂNCIA 2 km, sem incluir a distância a ser coberta nos museus
DURAÇÃO Um dia inteiro
INÍCIO Estação de metrô South Kensington
FIM Knightsbridge (Harrods)
OBSERVAÇÕES
Todos os três museus mencionados acima são imensos, e visitar todos eles num único dia seria exaustivo; em vez disso, concentre-se em um ou dois deles, conforme o seu interesse.
Por outro lado, a entrada em todos os três é gratuita, assim, é perfeitamente viável entrar em cada um deles para ver uma ou duas obras mais especiais.

O ano de 1851 é lembrado na Grã-Bretanha como o ano da Great Exhibition, realizada no Hyde Park, num palácio de cristal projetado por Joseph Paxton, e na qual foram exibidas obras do vasto império vitoriano. A idéia de fazer esta exposição foi de Henry Cole (1808-82), presidente da Sociedade das Artes, e foi entusiasticamente acolhida pelo príncipe consorte Alberto, que presidiu o comitê encarregado de levar a idéia adiante. O Crystal Palace, construído no parque para abrigar a exposição, foi um grande sucesso; no ano seguinte, depois de o palácio ser transferido para Sydenham, no sudoeste de Londres, os lucros obtidos foram usados na compra de 35 ha de terras em South Kensington, para aí ser construído um lar permanente para as artes e as ciências. Esta área é a mais importante neste itinerário.

VICTORIA AND ALBERT MUSEUM (V&A)

Comece o trajeto a partir da estação de metrô South Kensington, e um bom lugar para um almoço diferente é o **Daquise**, ver 🍴①. Quando você estiver pronto para ir para os museus, pegue a passagem inferior no metrô, seguindo a indicação "Museums", e você sairá na Cromwell Road, onde fica o **Victoria and Albert Museum** ❶ (tel.: 020-7942 2000; <www.vam.ac.uk>; diariamente, 10h-17h45; 4ª até 22h; grátis).

O átrio

O museu é imenso, com um acervo de cerca de cinco milhões de objetos armazenados em aproximadamente 13 quilômetros de corredores. Comece no *foyer*, onde você poderá admirar o candelabro em estilo veneziano de Dale Chihuly, artista americano especializado em vidro. Montado no local por uma equipe de técnicos, cada pedaço de vidro foi encaixado usando-se uma haste curva. O acréscimo de vidros em 1999 tornou o *foyer* um ponto de encontro.

O térreo e o andar inferior

No térreo, à direita da entrada principal, estão as **Sculpture Courts**, que abrigam obras neoclássicas britânicas e européias a partir do final do séc. XVIII e início do séc. XIX. À esquerda da entrada (passando a loja principal) estão os imensos *Raphael Cartoons* (1515-1516), emprestados pela Rainha. Esses desenhos, que retratam cenas das vidas de São Pedro e São Paulo, foram encomendados pelo papa Leão X para servirem de modelo para uma série de tapeçarias na Capela Sistina.

Em frente aos *Raphael Cartoons*, há uma seção de moda, e diretamente acima fica a coleção de instrumentos musicais. Ainda no térreo, adjacente aos *Raphael Cartoons*, acham-se as coleções asiática e islâmica, cujos destaques incluem tapetes fantásticos e o extraordinário *Tipu's Tiger*, um autômato de um tigre indiano matando um oficial britânico, criado em cerca de 1790 para o sultão Tipu.

Ladeando o pátio estão as salas que contêm a coleção italiana, e, no fim dessa seção, próximo à Ceramic Staircase (que simboliza a relação simbiótica entre a arte e a ciência), encontram-se as três cafeterias originais, onde, antes da Segunda Guerra Mundial, eram servidos cardápios de primeira, segunda e terceira categorias. A decoração inclui alusões a comidas e bebidas. A sala decorada por William Morris, Philip Webb e Edward Burne-Jones, pioneiros do movimento Arts and Crafts, é especialmente bela.

Os andares superiores

Nos andares superiores, a maior parte das galerias são dedicadas a materiais ou técnicas: objetos de prata, obras em ferro (onde se encontra a muito elaborada *Hereford Screen*, de *sir* George Gilbert Scott, criada em 1862), vitrais, cerâmicas, tecidos e jóias. As **British Galleries**, que documentam as tendências britânicas entre 1500 e 1900, também se encontram aqui.

Acima, a partir da extrema esquerda: a entrada do V&A; Príncipe Alberto; a imponente escadaria de vidro no V&A; *Tipu's Tiger*.

Abaixo: tapete iraniano do séc. XVI; o candelabro criado por Dale Chihuly, no *foyer*.

Inauguração Tardia Henry Cole começou a montar o acervo do V&A no ano seguinte à Grande Exposição, mas a rainha Vitória só veio a lançar a pedra fundamental do prédio atual em 1899, 38 anos após a morte de Alberto.

Onde comer

① DAQUISE

20 Thurloe Street; tel.: 020-7589 6117; diariamente, 11h30-23h; 2ª-6ª, menu fixo no almoço; ££

Para chegar a este restaurante polonês, na estação de metrô South Kensington, pegue a saída à direita e, em seguida, a primeira rua à direita. O Daquise fica no final de um renque de lojas. A leal clientela, formada por poloneses e moradores locais, vem aqui pela excelente e autêntica cozinha polonesa a preços muito baratos (especialmente considerando que se trata de uma área cara). A decoração é a mesma há décadas, inclusive os confortáveis bancos almofadados.

Acima, da esquerda para a direita: o hall principal do Museu de História Natural.

Lagartos Terríveis
No patamar do Museu de História Natural voltado para o hall principal há uma estátua de Richard Owen, o primeiro diretor do museu. Foi ele quem reconheceu a existência de gigantescos répteis terrestres pré-históricos e os denominou dinossauros (que, em grego, significa "lagartos terríveis").

Abaixo: o hall cavernoso do Museu de História Natural.

Ala Henry Cole

A seção restante, a Henry Cole Wing, que se estende por seis andares, é dedicada a exposições temporárias de gravuras, desenhos, pinturas e fotografias. Acha-se aqui também o **Frank Lloyd Wright Room**, que foi transferido de Pittsburgh para cá e é o único exemplo do trabalho do arquiteto na Europa. Termine o passeio aqui, com uma visita ao café do museu, ver ⑪②.

MUSEU DE HISTÓRIA NATURAL

Do outro lado da Exhibition Road está o **Natural History Museum** ❷ (Crowmwell Road; tel.: 020-7942 5000; <www.nhm.ac.uk>; diariamente, 10h-17h50; grátis), num prédio em estilo neogótico. Foi aberto em 1881; e hoje abriga cerca de 75 milhões de plantas, animais, fósseis, rochas e minerais.

Life Galleries

A primeira metade do museu é classificada como "Life Galleries", embora, ironicamente, suas principais atrações – os dinossauros – estejam mortas há muito tempo. Logo depois dos balcões de informação, vê-se, no meio do Central Hall, um molde em gesso de um diplódoco descoberto em Wyoming, em 1899.

A **Dinosaur Gallery**, dedicada aos dinossauros, é uma das mais movimentadas seções do museu, e muitos visitantes vão direto ver os dinossauros robóticos, no final da galeria. O **T-Rex** animatrônico em tamanho natural, emprestado a longo prazo pelo Japão, reage a qualquer movimento humano.

A seção **Human Biology** examina o funcionamento do corpo humano, cobrindo desde os hormônios até os genes, e é repleta de artefatos interativos: teste sua memória ou deixe-se enganar por ilusões óticas.

O grande destaque da seção **Mammals** é a impressionante réplica, em tamanho natural, de uma baleia azul. Além de exibir uma surpreendente coleção de animais empalhados, estas galerias mostram estatísticas chocantes relativas à velocidade com que certas espécies estão se tornando extintas.

A seção **Fish, Amphibians and Reptiles** exibe espécies fascinantes, inclusive peixes que vivem bem entre a zona crepuscular marítima, a 400 m, e a total escuridão, a 1000 m. Na seção ao lado fica a contrastante e serena **Ma-**

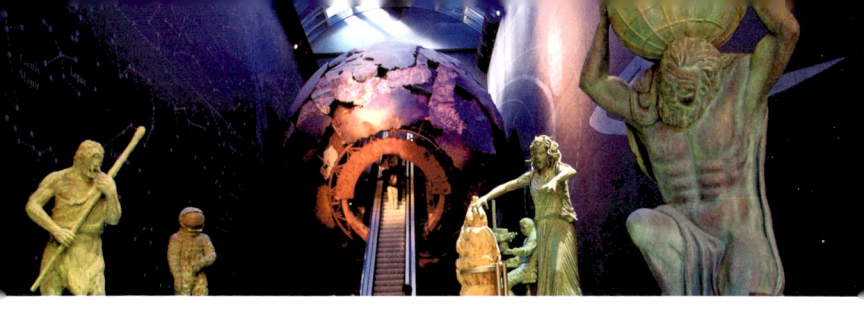

rine Invertebrates, com armários contendo corais, conchas e gorgônias e, ao redor, o som de ondas se quebrando à beira-mar, transportando-nos a essa paisagem marinha.

Earth Galleries

Siga através da Waterhouse Way em direção à outra principal seção do museu: as Earth Galleries. Esta seção é animada por notáveis efeitos especiais, som atmosférico e iluminação. Uma escada rolante central leva os visitantes a um gigantesco globo rotativo. No topo, a galeria **Restless Surface** cobre os terremotos e vulcões de maneira extremamente criativa: simula os tremores de um terremoto num supermercado japonês; uma série de aparelhos de TV ao lado de um carro coberto de cinzas vulcânicas reprisam os noticiários sobre a erupção do Monte Pinatubo, nas Filipinas, em 1991.

Na galeria **From the Beginning** é contada a história do universo, desde o *Big Bang*, há 15 milhões de anos, até o fim do sistema solar, previsto para daqui a 5 milhões de anos. Por fim, a galeria **Earth's Treasure** mostra as belezas que nosso planeta oferece, exibindo rochas, pedras e minerais reluzentes num ambiente semi-escuro.

MUSEU DE CIÊNCIAS

Na esquina da Exhibition Road, encontra-se o terceiro museu criado depois do sucesso da Grande Exposição de 1851, o **Science Museum** ❸ (tel.: 0870-870 4771; <www.sciencemuseum.org.uk>; diariamente, 10h-18h; grátis). O museu traça a história das invenções, desde o primeiro trem a vapor até o foguete espacial, e contém mais de 10 mil artefatos, além de atrações adicionais, como um cinema Imax.

Andar térreo

O andar térreo do museu abriga as seções **Exploring Space** e **Making the Modern World**. O grande destaque da primeira é a réplica da nave espacial *Apollo 11*, mas a seção também exibe vídeos dos primeiros experimentos com foguetes espaciais na década de 1920.

Making the Modern World ("moderno" definido como pós-1750) reúne muitos dos mais especiais artefatos do museu. Aqui você encontrará a mais antiga locomotiva a vapor do mundo, *Puffing Billy* (c. 1815), a locomotiva para passageiros pioneira, *Rocket* (1829), de Stephenson, e a nave espacial *Apollo 10* (1969).

Terceiro andar

Suba ao terceiro andar para visitar a magnífica **Flight Gallery**, onde estão expostos desde um hidroavião e um avião Spitfire a balões a ar quente. O Vikers Vimy, de 1919, no qual Alcock & Brown fizeram seu primeiro vôo transatlântico direto, encontra-se aqui, bem como um caça movido a foguete,

Acima: as atrações no Museu de Ciências incluem: o Energy Hall; o Making of the Modern World e a galeria Exploring Space, que abriga um imenso telescópio de raio X do Spacelab 2, que foi usado no ônibus espacial.

Onde comer

② **V&A CAFE**

Victoria and Albert Museum, Cromwell Road; tel.: 020-7942 2000; diariamente, 10h-17h15; 6ª até 21h30; £-££
Apropriadamente instalado nas casas-fortes nos porões do V&A e atualmente administrado pela bem-sucedida rede Benugo, o restaurante principal do museu serve tortas no café-da-manhã, excelentes sopas acompanhadas de pão, saladas frescas, bolos deliciosos e bebidas alcoólicas. No verão, há também um café no pátio, onde se servem bebidas e lanches.

O Lema do Harrods

Com o lema "Tudo para Todos em Todo Lugar", a loja ostenta que pode fornecer qualquer item que se deseja e enviá-lo para qualquer parte do mundo. Com essa extraordinária política, Noël Coward foi presenteado no Natal com um jacaré, e o ex-presidente americano Ronald Reagan ganhou um elefante bebê, e objetos de desejo extremamente originais, como ter sua própria estátua de cera feita pelo Madame Tussauds, podem se tornar uma realidade (embora a um custo bastante alto, de cerca de 250 mil libras).

o Messerschmitt, e o primeiro avião a jato britânico, o Gloster Whittle E28/39. Os visitantes podem examinar a cabine de um Douglas DC3 e participar de mostras interativas que ilustram os princípios do vôo.

Agora siga para o subsolo, onde, além de ser uma área voltada para as crianças, encontra-se a **Secret Life of the Home**, uma coleção de aparelhos domésticos e engenhocas que deixam os adultos nostálgicos e as crianças pasmas. Uma série de modelos de torradeiras elétricas mostra o desenvolvimento do aparelho desde 1923. Entre outros itens do dia-a-dia, estão um secador de cabelo "Sol", de 1925, e um Goblin Teasmade de 1945 (chaleira-despertador).

Outras exposições que visam mais os adultos são **Energy: Fuelling the Future**, **Health Matters**, **Glimpses of Medical History** e **Psychology: Mind Your Head**, enquanto os jogos na **In Future** suscitam questões intrigantes para todos. O SimEx Simulator (pago) cria, por meio da manipulação do ar e do movimento, o efeito sensorial de coisas, como um dinossauro respirando no seu pescoço.

KNIGHTSBRIDGE

Finalize o trajeto caminhando na direção leste, ao longo da Cromwell Road, que mais adiante passa a se chamar Brompton Road. Repare, à sua esquerda, o **Brompton Oratory** ❹ (Thurloe Place; tel.: 020-7808 0900; <www.bromptonoratory.com>; diariamente, 6h30-20h; grátis), uma vistosa igreja em estilo barroco projetada pelo arquiteto Herbert Gribble aos 29 anos de idade. Do outro lado da rua, há um bom restaurante francês, **Racine**, ver 🍴③.

Harrods e redondezas

Suba a Brompton Road, indo na direção da estação de metrô Knightsbridge e da loja de departamentos **Harrods** ❺ (tel.: 020-7730 1234; 2ª-sáb., 10h-20h; dom., 12h-18h), que fica nos n. 87-135. O comerciante Henry Charles Harrod, do East End, abriu uma loja neste local em 1849, já prevendo que a Grande Exposição alavancaria o comércio na área. A família Harrod vendeu a companhia em 1889, mas a loja continuou prosperando. A construção do prédio atual, por C. W. Stephens, arquiteto do Hotel Claridge's, teve início em 1901. Os irmãos egípcios Al Fayed adquiriram a loja em 1983.

Entre os destaques, está a magnífica seção de alimentos, em estilo *art nouveau*, um bom lugar onde comprar provisões para um piquenique no Hyde Park (*ver p.72*), que fica próximo ao norte de Knightsbridge e da South Carriage Drive. Ou, então, se você quiser terminar o passeio fazendo algumas compras, continue andando na direção leste, em Knightsbridge, até a sofisticada loja de departamentos **Harvey Nichols** ❻, ou desça a Sloane Street, rua ladeada de lojas de grifes e que leva à King's Road e ao bairro de Chelsea (*ver ao lado*).

Onde comer 🍴

③ RACINE

239 Brompton Road; tel.: 020-7584 4477; diariamente, almoço e jantar; £££

O elegante exterior envidraçado promete uma refeição sofisticada, e você não se decepcionará com a clássica comida francesa aqui oferecida e preparada com muito estilo. O preço é bastante razoável para esta parte da cidade, especialmente o menu fixo com três pratos, servido até as 19h30.

CHELSEA

*Visite numa quarta-feira ou domingo à tarde um dos jardins mais **antigos** de Londres e o local de residência de muitos escritores célebres, **sob** o pôr do sol no Tâmisa, e caminhe por uma das ruas comerciais mais **famosas** de Londres.*

O bairro de Chelsea, à beira do rio Tâmisa, foi praticamente uma aldeia de pescadores até por volta do séc. XV, quando começou a atrair aristocratas, os quais construíram elegantes mansões ao longo do que, na época, era uma rota que pertencia à realeza, ligando Westminster ao palácio de Hampton Court, a oeste: a King's Road.

Nos séc. XIX e XX, a área começou a atrair também artistas seduzidos por sua privilegiada posição à beira do rio e por sua luminosidade. Os anos 1960 marcaram o ápice de sua fama, mas seus endereços continuaram a ser cobiçados nos anos 1980, com a abertura da loja cult "Sex", de Vivienne Westwood e Malcom McLaren, no n. 430 da King's Road.

Embora a loja de Westwood, que depois passou a se chamar World's End (nome do trecho a oeste da curva na King's Road), ainda exista aqui, hoje a área é mais do que apenas badalada: tornou-se uma das partes mais elegantes e mais caras de Londres, bem como domínio das abastadas "Sloane Rangers" (*veja à direita*).

SLOANE SQUARE

Comece a caminhada a partir da estação de metrô, no lado leste da **Sloane Square** ❶, praça construída no final do séc. XVIII e assim chamada por causa de *sir* Hans Sloane, um médico e colecionador muito rico que adquiriu a mansão de Chelsea em 1712. À sua direita, fica o **Royal Court Theatre** (reservas pelo tel.: 020-7565 5000; <www.royalcourttheatre.com>), que data de 1870. Foi aqui que em 1956 John Osborne estreou sua peça *Look Back in Anger*, considerada um divisor de águas na história do teatro inglês. O

DISTÂNCIA 6 km
DURAÇÃO Metade de um dia a um dia inteiro
INÍCIO/FIM Sloane Square
OBSERVAÇÕES
Faça a caminhada numa quarta-feira ou num domingo, se você quiser visitar o Chelsea Physic Garden, pois o jardim só abre nesses dias. A King's Road fica bastante movimentada aos sábados.

Acima, a partir da extrema esquerda: Harrods à noite; Chelsea Pensioners (veteranos de guerra aposentados).

Sloane Rangers
Comumente usada desde os anos 1960, esta expressão para se referir à juventude de classe alta de Chelsea tornou-se oficial em 1982, quando a revista *Harpers & Queen* publicou o *The Official Sloane Ranger Handbook* (o manual oficial do Sloane Ranger).

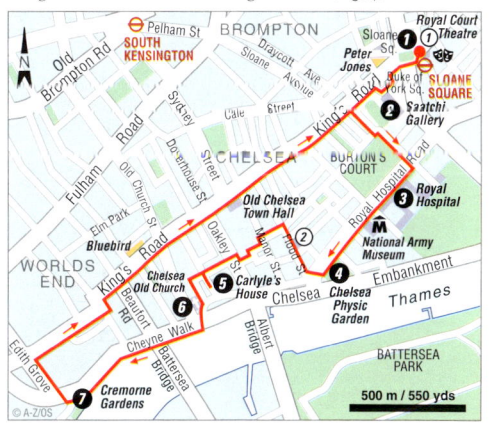

Chelsea Flower Show

O Chelsea Flower Show é um grande evento social realizado pela Royal Horticultural Society todos os anos em maio, nos espaçosos jardins do Royal Hospital, o primeiro deles realizado em 1862. É um dos maiores eventos deste tipo no mundo, e hoje inclui um número impressionante de exposições de jardins, todos criados apressadamente, porém perfeitos, os quais contêm uma surpreendente variedade de plantas e flores.

teatro ainda mantém a reputação de encenar peças inovadoras e boas.

Se você quiser fazer uma pausa para comer algo, o café do teatro, ver 🍴① (*p.82*), é uma excelente opção.

Caminhe ao longo do lado sul da praça. Repare, à sua direita, a loja de departamentos **Peter Jones** (parte da rede de lojas John Lewis).

DUKE OF YORK SQUARE

Continue pela King's Road, indo na direção oeste. À sua esquerda, fica a Duke of York Square, trecho para pedestres onde se encontram luxuosas lojas de artigos para casa, butiques, cafés e, no inverno, um rinque de patinação. A loja de secos e molhados Partridges todo sábado organiza uma feira de comidas do lado de fora. Atrás fica o Duke of York's Headquarters, que no passado foi um campo militar, mas que desde 2008 abriga a **Saatchi Gallery** ❷ (acesse <www.saatchi-gallery.co.uk> para informações; entrada paga), que expõe obras de artistas britânicos contemporâneos da coleção de Charles Saatchi, antigo magnata da área de publicidade e conhecido por sua coleção de obras de artistas jovens britânicos (ou YBAs – Young British Artists, na sigla em inglês), como Damien Hirst e Tracey Emin.

ROYAL HOSPITAL

De volta à King's Road, pegue a próxima rua à esquerda, Cheltenham Terrace. No final dela, continue pela Franklin's Row, que vai dar na Royal Hospital Road.

Você verá à sua frente o **Royal Hospital** ❸ de Chelsea (tel.: 020-7881 5200; <www.chelsea-pensioners.org.uk>; 2ª-sáb., 10h-12h e 14h-16h, mai.-set.; também dom., 14h-16h; grátis), prédio grandioso inspirado no Hôtel des Invalides em Paris e construído por Christopher Wren em 1692. Esta é a residência de cerca de 400 "Chelsea Pensioners", veteranos de guerra aposentados e identificáveis por suas fardas vermelhas. Ao lado do hospital fica o **National Army Museum** (tel.: 020-7881 2455; diariamente, 10h-17h30; grátis).

CHELSEA PHYSIC GARDEN

Continue na direção oeste, ao longo da Royal Hospital Road, até chegar ao n. 66, onde se encontra o **Chelsea Physic Garden** ❹ (tel.: 020-7352 5646; <www.chelseaphysicgarden.co.uk>; abr.>-out., 4ª, 12h-17h; dom., 14h-18h; entrada paga); a entrada fica à esquerda, na Swan Walk. Fundado pela Sociedade dos Farmacêuticos em

---

Onde comer 🍴

① ROYAL COURT
Royal Court Theatre; tel.: 020-7565 5058; 3ª-6ª, almoço e jantar, 11h-meia-noite; 2ª e sáb., almoço e jantar, 12h-meia-noite; ££
O amplo café do Royal Court esconde-se no que costumava ser o fosso da orquestra no séc. XIX. Relaxe nos sofás tomando um drinque, beliscando tapas, algumas vindas diretamente do Borough Market, ou, se desejar uma refeição mais substancial, experimente os fartos pratos principais (servidos até as 20h), como salada de cavalinha no confit de pato e o excelente bolo de chocolate. Seleção de vinhos limitada, mas experimente um dos Proseccos mais caro.

② COOPERS ARMS
87 Flood Street; tel.: 020-7376 3120; almoço diariamente, jantar de 2ª-sáb.; ££
Fácil de reconhecer por causa de sua fachada amarela, este *pub* aconchegante serve porções generosas de clássicos da cozinha inglesa, como torta de carne e rim e salsichas com purê de batata, aos refinados moradores de Chelsea.

1676, é o segundo mais antigo jardim botânico do país (o de Oxford foi o primeiro), com centenas de plantas raras e extraordinárias, incluindo a maior oliveira do Reino Unido.

CARLYLE'S HOUSE

No final da Royal Hospital Road, dobrando à direita, você entrará na Flood Street, onde fica o excelente *pub* **Coopers Arms**, ver ⑪②; Margaret e Denis Thatcher moraram nesta rua, no n. 19. Do *pub*, siga na direção oeste, passando pelas muitas ruas atraentes da área.

No n. 24, **Carlyle's House** ❺ (tel.: 020-7352 7087; <www.nationaltrust.org.uk>; meados de mar. e fim de out., 4ª-6ª, 14h-17h; sáb. e dom., 11h-17h; entrada paga), o tempo parece ter parado. O historiador escocês Thomas Carlyle trouxe sua esposa, Jane, para morar nesta elegante casa em estilo Queen Anne em 1834.

Em 1896, o lar do casal foi transformado num museu, mas até hoje se tem a sensação de se estar em plena era vitoriana, com o papel de parede, livros, mobília e quadros exatamente como Carlyle os deixou.

CHEYNE WALK

No limite norte da Cheyne Row, vire à esquerda para pegar a Upper Cheyne Row e a Lawrence Street, que abriga porcelanas de 1745-1784. Dr. Johnson gostava de trabalhar no torno, mas seus vasos não sobreviviam à queima. Continue até a Cheyne Walk, uma das ruas mais exclusivas de Londres. Moradores passados incluem George Eliot, J. M. W. Turner, Dante Gabriel Rossetti (*ver à direita*) e, mais recentemente, Mick Jagger.

Aqui você encontrará uma estátua folheada a ouro de *sir* Thomas More, um outro famoso morador. Em 1535, o chanceler de Henrique VIII foi decapitado na Torre de Londres, tendo reservado sua tumba na **Chelsea Old Church** ❻. O prédio foi quase destruído por uma mina terrestre em 1941, mas seus fragmentos foram recuperados e remontados. Entre os destaques estão dois entalhes de Holbein.

Cremorne Gardens

Repare, à sua esquerda, nas casas flutuantes atracadas ao lado da ponte de Battersea. É atraente caminhar por este trecho à beira do rio, mas a rua se afasta dele em **Cremorne Gardens** ❼, local ermo, iluminado por lamparinas coloridas, onde os vitorianos costumavam dançar pela noite adentro.

DE VOLTA À SLOANE SQUARE

A rua Edith Grove, à direita, o levará de volta à King's Road. A caminhada daqui até Sloane Square leva 25 minutos (sem incluir paradas), se você andar ligeiro; uma alternativa é pegar o ônibus n. 11 ou 22, na direção leste. Ao voltar para a Sloane Square, repare, à sua esquerda, no n. 350, a renovada Bluebird Garage, de Terence Conran, e, à direita, na metade da King's Road, o Old Chelsea Town Hall (antiga prefeitura de Chelsea), um lugar muito popular entre as celebridades para cerimônias de casamento. O prédio é ladeado por dois mercados de antigüidades.

Acima, a partir da extrema esquerda: peônia "Cardinal Vaughan", Chelsea Flower Show; casas elegantes perto de Cheyne Walk; carro dos noivos no Chelsea Town Hall; artigos de toalete na Jo Malone, King's Road.

Proibição de pavões Quando o artista pré-rafaelita Dante Gabriel Rossetti e o poeta Swinburne moravam no n. 16 da Cheyne Walk, mantinham pavões no jardim. Hoje os contratos de aluguel das casas proíbem ter essas aves.

Acima: quiches gourmet na feira da Duke of York; roupas de cama e chinelos de veludo à venda na Designers Guild.

PASSEIO NO TRADICIONAL ÔNIBUS DE DOIS ANDARES

Saia com seu guarda-chuva e chapéu e pegue o ônibus n. 15, que vai da Torre de Londres à Trafalgar Square, passando pela Catedral de São Paulo. "Todos a bordo para Ludgate Circus!", brada o trocador. Ding ding. E lá se vai o ônibus...

Fim de uma era

O tradicional ônibus de dois andares, um dos ícones londrinos, também conhecido como *Routemaster*, foi introduzido em 1956 e permaneceu em serviço até 2005. Entretanto, em razão de uma lei governamental exigindo que até 2017 os usuários de cadeiras de roda tenham acesso a todo transporte público, hoje apenas as rotas 9 e 15, que fazem os trajetos "históricos", ainda usam os *Routemasters*.

DISTÂNCIA 4,5 km
DURAÇÃO 25 minutos
INÍCIO Tower Hill
FIM Trafalgar Square
OBSERVAÇÕES
O ônibus n. 15 é programado para completar seu percurso em 25 minutos, e opera diariamente de 15 em 15 minutos, entre 9h30 e 18h30, nas duas direções. Note que nem todo ônibus n. 15 é de dois andares, assim, aguarde um desses para fazer o passeio. Um outro ônibus que faz um trajeto "histórico" é o n. 9, que segue da Trafalgar Square para o Albert Hall, via Piccadilly Circus, Hyde Park Corner e Knightsbridge. Os trocadores aceitam passes (Travelcards ou Oystercards) ou dinheiro em espécie.

Se você for de metrô, vire à direita ao sair da estação Tower Hill, indo em direção à Torre de Londres. Use a passagem subterrânea para atravessar para o outro lado da rua e depois suba as escadas à sua esquerda para chegar no ponto do ônibus n. 15.

NO CAMINHO PARA EASTCHEAP

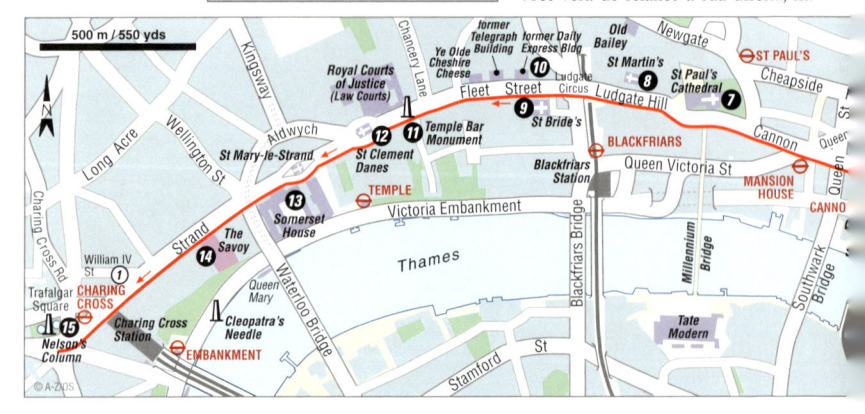

Uma vez dentro do ônibus, você verá, à sua direita, o grandioso **Port of London Authority building** ❶. Mais adiante, à sua esquerda, logo depois de passar a Torre de Londres, está a **All Hallows Church** ❷, a igreja mais antiga da cidade, que data de 675. Em seguida, subindo a Great Tower Street, você verá de relance à sua direita, na direção da rua Mincing Lane, o **The Gherkin** ❸, prédio comercial de formato singular, projetado por Norman Foster.

NO CAMINHO PARA A OLD BAILEY

Na altura em que o nome da rua muda para Eastcheap, encontra-se, à direita, a **Church of St. Margaret Pattens** ❹, de *sir* Christopher Wren. Logo depois, à esquerda, fica a rua Pudding Lane e a coluna do **The Monument** ❺ (*ver p. 56*). Em seguida, o ônibus cruza a King William Street, de onde se vai para a **London Bridge**, virando à esquerda, ou ao Bank of England e à **Barbican Tower**, virando à direita.

Entrando na Cannon Street à direita está a igreja **St. Stephen Walbrook** ❻, de Wren, e, sobranceiro a ela, o edifício **Tower 42** (o antigo NatWest Tower). Em seguida, à direita, está a **Catedral de São Paulo** ❼ e, à esquerda, a Ponte do Milênio sobre o Tâmisa, que leva à **Tate Modern**. Ao entrar na Ludgate Hill, você verá, à direita, a **St. Martin's Church** ❽, e, mais distante, a **Old Bailey**, cenário de muitos processos criminais famosos.

FLEET STREET E STRAND

Ao passar Ludgate Circus e entrar na Fleet Street, você verá, à esquerda, na Bride Lane, a **St. Bride's Church** ❾. À direita, está a antiga sede do jornal **Daily Express**, em estilo *art déco* e, logo depois, no n. 135, a do jornal **The Telegraph**. A seguir, à direita, está um dos *pubs* mais antigos da City, o **Ye Olde Cheshire Cheese**, e, no final da Fleet Street, os **Law Courts** (tribunais superiores).

O início do Strand é delimitado pelo dragão do **Temple Bar monument** ⓫, e, logo depois, numa ilha, está a **St. Clement Danes** ⓬, igreja da Força Aérea Real, construída por Christopher Wren. Mais adiante, à esquerda da **St. Mary-le-Strand**, outra igreja numa ilha, está a **Somerset House** ⓭, que é hoje um importante museu de arte (*ver p. 54*). Mais abaixo, do mesmo lado da rua, está o **Savoy Hotel** ⓮, construído por Richard D'Oyly Carte.

Por fim, o ônibus segue até **Trafalgar Square** ⓯, onde o passeio termina. Depois de desembarcar, vá até o **Café in the Crypt**, *ver* ❶, para lanche rápido.

Acima, da esquerda para a direita: ônibus de dois andares, na garagem; o andar de cima do ônibus.

As igrejas de Wren
No séc. XVI, existiam 111 igrejas na City of London; o Grande Incêndio de Londres destruiu 87 delas. *Sir* Christopher Wren foi nomeado "Supervisor das Obras Reais" e dirigiu a reconstrução de 51 igrejas, inclusive a da Catedral de São Paulo. Hoje 23 delas permanecem praticamente intactas – ainda existem as ruínas ou apenas as torres de outras seis –, e as demais foram totalmente destruídas (muitas delas durante a Blitz) ou substancialmente reconstruídas.

Onde comer

① **CAFÉ IN THE CRYPT**
No porão, St. Martin's Church; tel.: 020-7766-11-58; 2ª-4ª, 8h-20h; 3ª-sab., 8h-21h; dom. 11h-18h; ££
O grande café debaixo de St. Martin's. Church é ideal para refeições rápidas durante o dia todo. O menu inclui o tradicional e continental café da manhã, os almoços tipo bistrô, os clássicos chás das cinco (bolinhos cozidos na chapa e bolos), jantares (à luz de vela de ter.-dom.) e assado de domingo. Todos os pratos principais podem se pedidos em porções menores para as crianças.

HAMPSTEAD

Repleto de belas casas em meio a arvoredos frondosos, tendo como pano de fundo o Hampstead Heath, um glorioso parque natural, Hampstead é a quinta-essência de um vilarejo inglês, nos arredores de Londres.

Museu Freud
Para visitar a casa de Sigmund Freud (tel.: 020-7435 2002; 4ª-dom., 12h-17h; entrada paga), desça a Heath Street e a Fitzjohn's Avenue, vire à direita na Nutley Terrace e, depois, à esquerda na Maresfield Gardens. Tudo se encontra exatamente como o psicanalista deixou, inclusive seu divã.

DISTÂNCIA 4,5 km
DURAÇÃO Metade de um dia
INÍCIO/FIM Estação de metrô Hampstead
OBSERVAÇÕES
Os melhores dias para se fazer esta caminhada são às quintas, às sextas e aos sábados, quando todos os museus estão abertos. Note que Kenwood House fica a 15-20 minutos a pé da estação de metrô Hampstead.

Até pouco tempo atrás, Hampstead era reduto de artistas, escritores e liberais. Na última vez em que foi contado o número de placas comemorativas no bairro, havia 90 delas em tributo a residentes célebres, como Sigmund Freud. Hoje, para morar aqui, basta você ter bastante dinheiro.

Ao sair da estação de metrô **Hampstead**, desça a Heath Street (passando pelo **The Horseshoe**, ver ①), e vire à direita em Church Row, uma rua de casas em estilo georgiano. Siga as indicações para o túmulo de John Constable, no cemitério **St. John's Church** ❶, que fica na metade da rua.

FENTON HOUSE

Agora suba a Holly Walk e vire à esquerda na Hampstead Grove. À sua esquerda está **Fenton House** ❷ (Windmill Hill; tel.: 020-7435 3471; mar., sáb. e dom., 11h-17h; abr.-out., 4ª-6ª, 14h-17h; sáb. e dom., 11h-17h; entrada paga), uma grandiosa mansão construída para um comerciante. O jardim atrás dos portões dourados mantém-se intacto há 300 anos. No interior da casa, há belos quadros, mobiliário e porcelanas, bem como uma coleção de cravos. Na primavera, os concertos realizados aqui recriam as festas de salão do séc. XVIII.

BURGH HOUSE

Retornando à Hampstead Grove, vire à direita e desça os degraus que levam de volta à Heath Street e, em seguida, atravesse a rua para pegar a New End. No final da New End encontram-se a New End Square e a **Burgh House** ❸ (tel.: 020-7431 0144; 4ª-6ª e dom., 12h-17h; grátis). Construída em 1704, a casa abriga o museu histórico local, com uma exposição permanente sobre o pintor John Constable.

Quase em frente ao museu você verá a entrada para Flask Walk, um caminho agradável, com butiques e galerias, que o levará até o **The Flask**, ver 🍴②.

WILLOW ROAD

De volta à New End, siga em direção à Willow Road. No final desta rua encontra-se a modernista **2 Willow Road** ❹ (tel.: 020-7435 6166; abr.-out., 5ª-sáb., 12h-17h; mar. e nov., somente sáb.; entrada paga), com vista para o Hampstead Heath. Foi projetada por Erno Goldfinger para abrigar a sua coleção de arte.

KEATS HOUSE

Agora vire à direita na Downshire Hill e, em seguida, à esquerda, na Keats Grove. À direita, você verá a **Keats House** ❺ (tel.: 020-7435 2062; fechada para reformas até o final de 2008, depois, 3ª-dom., 13h-17h; entrada paga), a casa de campo, em estilo regência, em que o tuberculoso poeta se alojou antes de partir para Roma, onde veio a falecer um ano depois, em 1821, com 25 anos de idade. Keats escreveu *Ode to a Nightingale* (Ode a um Rouxinol), sentado debaixo de uma ameixeira, no jardim, um de seus mais adorados poemas. Na casa, encontram-se mimos que ele ganhou de Fanny Brawne, a vizinha por quem era apaixonado.

HAMPSTEAD HEATH

No final da Keats Grove, vire à esquerda na South End Road e pegue, à sua direita, uma das vielas que levam ao Hampstead Heath. O Heath é repleto de trilhas, mas siga na direção norte, para o topo da colina e para **Kenwood House** ❻ (tel.: 020-8348 1286; diariamente, abr.-out., 11h-17h; nov.-mar., 11h-16h; grátis). Esta mansão foi doada ao país pelo magnata da cerveja Edward Guinness e abriga a sua coleção de arte. A casa contém também alguns dos mais bonitos interiores projetados por Robert Adam (de 1764 a 1779).

Ao sair da mansão, caminhe pelos jardins e pelo Hampstead Heath, mais adiante, para retornar à estação de metrô Hampstead.

Acima, da esquerda para a direita: vista do Hampstead Heath; tributo a Keats.

Spaniards Inn
No extremo norte da Spaniards Road está este *pub* do séc. XVI em cuja cocheira o salteador Dick Turpin costumava alojar seu cavalo, Black Bess. Foi aqui também que o poeta Keats ouviu o rouxinol que inspirou a sua famosa ode.

Highgate Ponds
Entre os atrativos do Hampstead Heath, incluem-se os seus lagos, com algumas áreas reservadas apenas para um dos sexos, outras para ambos os sexos e outras para nudistas. Há também uma piscina de 60 m (tel.: 020-7485 5757) em Parliament Hill. Portanto, vale a pena levar roupas de banho neste passeio, se o tempo estiver bom.

Onde comer

① THE HORSESHOE
28 Heath Street; tel.: 020-7431 7206; diariamente, almoço e jantar; ££-£££
Boas cervejas "ale". Comida inglesa tradicional: pratos de carneiro e bife e, de sobremesa, *trifle* (bolo com gelatina, creme e frutas) ou crumble com creme.

② THE FLASK
14 Flask Walk; tel.: 020-7435 4580; 2ª-sáb., almoço e jantar; dom., almoço; ££
Típico *pub* vitoriano: confortável, com dois bares na parte da frente separados por um belo vidro da década de 1880. Comida padrão de *pub*.

NOTTING HILL

O atrativo de Notting Hill advém de sua fusão de culturas e estilos de vida – rastafaris misturam-se a italianos, o esplendor burguês coexiste com a boemia chique. O melhor dia para visitar o bairro é aos sábados, quando a feira de Portobello Road está em plena atividade.

História de um Nome
Até c.1850, Portobello Road era uma vereda em meio a campos de feno e pomares. Seu nome deriva do nome de uma fazenda onde se criavam porcos, que, por sua vez, era assim chamada em homenagem à vitória da Inglaterra sobre a Espanha em Puerto Bello, no Golfo do México, em 1739.

DISTÂNCIA 3 km
DURAÇÃO Metade de um dia
INÍCIO Estação do metrô Notting Hill Gate
FIM Estação de metrô Westbourne Park
OBSERVAÇÕES
Aos sábados, a feira de antigüidades na Portobello Road fica superlotada no meio da manhã. Há algumas barracas às sextas-feiras e aos domingos. Se, ao chegar ao viaduto Westway, você sentir vontade de fugir da multidão, a estação de metrô Ladbroke Grove fica à esquerda.

O bairro de Notting Hill ficou na moda nos anos 1990, quando os poderosos do mundo da moda e da mídia se mudaram para lá, atraídos pela mistura de etnias.

Hoje é uma área extremamente cara e reduto de banqueiros de investimento. No entanto, foi uma região bem diferente disso em séculos passados. Na década de 1800, quando casas grandiosas dividiam o espaço com favelas, a área, segundo Charles Dickens, era "um local de pragas, por causa de sua insalubridade, e praticamente sem nada que se comparasse a ela em Londres". Mesmo até bem recentemente, nos anos 1950, o bairro ainda era muito pobre. Um grande número de imigrantes afro-caribenhos se assentou na região, a qual, em 1958, foi palco de muitos conflitos raciais.

Atualmente, pessoas de culturas diversas se misturam sem problemas, embora a população seja predominantemente de classe média e branca, e o famoso Carnaval de Notting Hill, que começou modesto na década de 1960, hoje é o segundo maior depois do Carnaval do Rio.

PORTOBELLO ROAD

Ao sair da estação de metrô **Notting Hill Gate**, dobre à direita (na direção norte) na Pembridge Road. Caminhe ao longo das lojas retrô e vire à esquerda na Portobello Road. O extremo norte da rua é essencialmente residencial, com atraentes casas geminadas, pintadas de diferentes cores. Repare na placa comemorativa no n. 22, onde o escritor George Orwell residiu.

Feira de Antigüidades
Mais adiante, depois de passar pela **Westbourne Grove** ❶, à direita, você entra no trecho principal da feira de antigüidades. Há dezenas de barracas escondidas em galerias. Muitas delas só abrem aos sábados, quando as ruas ficam lotadas de vendedores de rua comercializando racks para torradeiras, ursinhos de pelúcia, vasos de flores e vasos Ming. É comum pechinchar.

Na esquina com a **Elgin Crescent** ❷, o tema passa a ser comida, com verdureiros tradicionais lado a lado com lojas de produtos orgânicos. À sua esquerda, no n. 191, por trás das barracas vendendo pak choi e pão ciabatta, está o **Electric Cinema** (tel.: 020-7908 9696; <www.the-electric.co.uk>), que exibe filmes atuais num ambiente retrô, com poltronas de couro, apoio para o pé e *cooler* para garrafa de vinho.

Mais acima, na Portobello Road, vire à esquerda e desça a **Blenheim Crescent** ❸ até a livraria **Books for Cooks**, ver 🍴①, e, do outro lado da rua, a Travel Bookshop. Esta última serviu de inspiração para a livraria do filme *Notting Hill* (1999), com Julia Roberts e Hugh Grant.

Para além do viaduto Westway
De volta à Portobello Road, caminhe sob o **Westway flyover** ❹, onde predomina a moda boho (combinação do hippie chique com o étnico).

Em direção à Golborne Road
Se você desejar fazer uma pausa para comer algo, **Uncle's**, ver 🍴②, fica à sua esquerda, e, no final da Portobello Road, há o **The Galicia**, ver 🍴③. Você agora está próximo à junção com a **Golborne Road** ❺, onde deve virar à direita. Aqui, lojas marroquinas vendem chinelos e especiarias, e a comunidade portuguesa faz fila para o café e os bolos do café Lisboa (no n. 57) e para o bacalhau na delicatéssen do outro lado da rua. No final da rua, assoma a **Trellick Tower** ❻, projetada por Erno Goldfinger, de quem o velho adversário de James Bond herdou o nome. Vire à esquerda na Elkstone Road, para chegar à estação de metrô.

Onde comer 🍴

① BOOKS FOR COOKS
4 Blenheim Crescent; tel.: 020-7221 1992; 3ª-sáb., 10h-18h; ££-£££
Esta loja especializada em livros de cozinha também oferece aulas de culinária e a chance de provar, em seu pequeno café, os (em geral excelentes) resultados.

② UNCLE'S
305 Portobello Road; tel.: 020-8962 0090; diariamente, café-da-manhã, almoço e jantar; £-££
Café informal onde se pode ler o jornal e tomar café-da-manhã a qualquer hora do dia. Serve boas batatas fritas, grandes e grossas.

③ THE GALICIA
323 Portobello Road; tel.: 020-8969 3539; diariamente, almoço e jantar; ££
Tapas bar e restaurante caótico, serve à comunidade espanhola local. Pratos saborosos, simples e autênticos.

Acima, a partir da extrema esquerda: a colorida Portobello Road; antiquários na Kensington Church Street; urso de pelúcia, em uma loja local; Carnaval de Notting Hill.

Carnaval
Todos os anos, no feriado de agosto, as ruas de Notting Hill são tomadas por cerca de um milhão de pessoas para celebrar os três dias do festival caribenho. O primeiro Carnaval, em 1959, que foi bastante modesto, realizou-se na prefeitura de St. Pancras e queria unir as comunidades depois dos conflitos raciais; foi transferido para Notting Hill em 1965. Os festejos ocorrem principalmente no domingo e na segunda-feira, mas, no sábado à noite, ouvirá as bandas de percussão ensaiando.

Abaixo: Notting Hill e a Portobello Road são muito populares entre os fashionistas.

EAST END

Onde no passado havia favelas, conflitos raciais e Jack, o Estripador, hoje existem galerias de arte, bares da moda e modernidade; enquanto que Canary Wharf, antiga área portuária que abrigava o comércio imperial britânico, é onde se concentram os bancos de investimento, com sua pujante arquitetura.

Women's Library
Vire à direita ao sair da estação de metrô Aldgate East e pegue a primeira à direita, a Old Castle Street, onde fica a Women's Library (tel.: 020-7320 2222; 3ª-6ª, 9h30-17h; sáb., 10h-16h; grátis), que possui um acervo sobre a história da luta das mulheres pelos direitos civis, do sufrágio e da sexualidade.

DISTÂNCIA 4 km
DURAÇÃO Um dia inteiro
INÍCIO Whitechapel Art Gallery
FIM Geffrye Museum
OBSERVAÇÕES
Se quiser ver os mercados de Petticoat Lane, Spitalfields ou Columbia Road em plena atividade, faça este trajeto num domingo. Note também que o horário de abertura da casa de Dennis Severs (*veja no lado oposto*) é limitado.

Por muito tempo associado à pobreza, à superpopulação e à mazela urbana, o East End, área cada vez mais gentrificada, está atualmente em evidência por ser o local dos Jogos Olímpicos de 2012, que se realizarão em Stratford. Além de ser o *habitat* dos *cockneys* nativos, historicamente, a região também costumava ser a primeira parada para imigrantes recém-chegados em Londres e, por consequência, é habitada por uma grande variedade de etnias. Enquanto isso, as Docklands se tornaram reduto de banqueiros de investimento, que se instalaram em arranha-céus e em elegantes apartamentos nas antigas docas, tão vitais no passado para o comércio imperial britânico.

WHITECHAPEL

Na estação de metrô Aldgate East, siga as indicações para a saída que leva à **Whitechapel Art Gallery** ❶ (tel.: 020-7522 7888; <www.whitechapel.org>; 4ª-dom., 11h-18h; 5ª até as 21h; grátis). A galeria foi fundada em 1897 por um pároco local e sua mulher, cujo propósito era combater a pobreza espiritual e econômica no East End, e o prédio foi projetado pelo arquiteto Charles Harrison Townsend. Hoje, a galeria apresenta importantes exposições de arte contemporânea. Há também um excelente café no mezanino.

Ao sair da galeria, pegue à direita na Whitechapel Road e continue o trajeto, ou, se desejar almoçar, pegue à esquerda, na direção do **East London Mosque**, e, mais adiante, vire à direita na Fieldgate Street, onde se encontram alguns dos melhores restaurantes paquistaneses de Londres, inclusive o **Tyyabs**, ver ①.

SPITALFIELDS

Os mercados antigos de Londres
Vire na Commercial Street à sua direita e, mais adiante, vire à esquerda, na Wentworth Street, que o levará ao **Petticoat Lane Market** ❷ (2ª-6ª e dom. até as 14h, com maior número de barracas), que há 400 anos concentra grande parte das lojas de confecção em Londres.

Mais acima, na Commercial Street à sua esquerda, está o **Spitalfields Market** ❸, antigo mercado de frutas e legumes (desde 1682) que hoje abriga barracas onde se vendem roupas, bijuterias, artigos domésticos, livros de segunda mão e produtos orgânicos aos domingos.

Restaurantes e pubs
Do outro lado da rua fica o *pub* **The Golden Heart**, famoso reduto de artistas ingleses. A complacente e excêntrica proprietária, Sandra Esquilant, foi recentemente votada a 80ª pessoa mais importante no mundo da arte contemporânea. À algumas portas adiante fica o **St. John**, ver ②, e logo depois, na esquina da Fournier Street, está o **The Ten Bells**, *pub* onde Jack, o Estripador, examinava suas vítimas antes de assassiná-las.

Christ Church Spitalfields
Na outra esquina da Fournier Street está a **Christ Church** ❹ (tel.: 020-7247 7202; 2ª-6ª, 11h-16h; dom., 13h-16h; grátis), uma das mais belas obras de Nicholas Hawksmoor. Foi construída entre 1714 e 1729 com o objetivo de demonstrar o poder da Igreja Protestante aos huguenotes dissidentes que haviam se assentado na área depois de fugir da França católica.

Descendo a Fournier Street, você passará pelas belas casas que os huguenotes construíram depois de enriquecerem com a fabricação de seda e o comércio de prata.

Brick Lane
No final da rua, vire à esquerda na Brick Lane, famosa por seus baratos restaurantes especializados em curry,

Onde comer

① TAYYABS
83 Fieldgate Street; tel.: 020-7247 9543; diariamente, almoço e jantar; £
Embora caótico e muitas vezes com filas longas, o local serve boa comida a preços acessíveis. *Seekh kebabs* (churrasquinhos de carne) suculentos e saborosos. Leve sua própria bebida (a rolha não é cobrada).

② ST JOHN BREAD AND WINE
94-96 Commercial Street; tel.: 020-7251 0848; diariamente, café-da-manhã, almoço e jantar; £££
Filial do restaurante St. John, em Smithfields, segue o mesmo e bemsucedido modelo da matriz, embora seja um pouco mais barato.
O cardápio muda diariamente, oferece produtos britânicos frescos e baseia-se no conceito "nose-to-tail eating", do *chef* Fergus Henderson (que dá ênfase às vísceras dos animais). Ostras locais, cabeça de porco com rabanetes, enguias defumadas com picles de ameixa e funcho.

Acima, a partir da extrema esquerda: Spitalfields Market, com a Christ Church a distância; quadro-negro no antigo e atraente verdureiro A. Gold, perto de Spitalfields Market; casa de Dennis Severs; costeleta suculenta no St. John Bread and Wine.

18 Folgate Street
Duas ruas depois do Spitalfields Market fica a casa de Dennis Severs, que data do séc. XVIII (tel.: 020-7247 4013; <www.dennissevershouse.co.uk>; 1º e 3º dom. do mes, 12h-16h; 2ª, depois do 1º e 3º dom. do mês, 12h-14h, sem reserva; 2ª à noite, à luz de vela, requer reserva; entrada paga). Em 1967, Severs mudou-se de sua nativa Califórnia para Londres, comprou esta casa de um antigo tecelão de seda e recriou o ambiente do séc. XVIII, vivendo sem eletricidade ou aparelhos domésticos modernos. Hoje a casa se encontra como se a família original tivesse acabado de sair da sala, deixando lá um pãozinho comido pela metade e a lareira ardendo a fogo lento.

graças a uma outra comunidade imigrante: os bangladeshes.

Na Princelet Street, que cruza a Brick Lane, encontram-se belas casas do séc. XVIII que se mantêm intactas (*ver à direita*). Mais acima, na mesma rua, está o **Old Truman Brewery** ❺, que abriga lojas, estúdios, bares, restaurantes (inclusive o excelente Story Deli), boates e, aos domingos, uma feira de artesanato. Mais para o final da rua, à esquerda, entre butiques e cafés desta área badalada, encontra-se uma relíquia de sua antiga e vasta comunidade judaica – o **Beigel Bake**, ver 🍴③.

HOXTON E SHOREDITCH

No final da Brick Lane, vire à esquerda na Bethnal Green Road. À sua direita, você verá a **Rich Mix** ❻ (tel.: 020-7613 7490; <www.richmix.org.uk>; diariamente, 9h-23h), antiga fábrica de roupas que hoje abriga um cinema, galerias de arte e estúdios de gravação. Logo adiante, a Brick Lane cruza com a Shoreditch High Street, onde você deve dobrar à direita.

Esta área foi bastante bombardeada durante a Segunda Guerra Mundial, causando uma queda severa no número de habitantes. A revitalização da região só veio a acontecer na década de 1990, quando muitos artistas se mudaram para cá.

Rivington Place

À sua esquerda, transversal à High Street, está a Rivington Street, onde, à sua direita, encontra-se a mais nova galeria pública de Londres, **Rivington Place** ❼ (tel.: 020-7749 1240; <www.rivingtonplace.org>; 3ª-sáb., 11h-16h, 5ª, até as 23h; entrada paga). Dedicada à diversidade cultural, a galeria apresenta exposições de arte e de filmes.

Mercado de Flores
Aos domingos, entre 8h e 14h, a Columbia Road transforma-se num mercado de flores; as plantas e as flores que restam são vendidas a preços mais baratos.

No alto, da esquerda para a direita: moças locais; especiarias e *poppadums* (pães indianos) – esta área é famosa por seus restaurantes indianos; costureira na Brick Lane, um reflexo da crescente criatividade na área e de sua ligação com o comércio de roupas.

À direita: sala no Geffrye Museum.

Onde comer 🍴
③ BRICK LANE BEIGEL BAKE
159 Brick Lane; tel.: 020-7729 0616; aberto 24 horas, diariamente; £
Beigels (pão em forma de argola) gordos, macios, perfeitos. Recheios de salmão defumado, *cream cheese*, arenque e, o melhor de todos, carne seca trinchada na hora. Bom com mostarda e conserva de pepino. Serve também *platzel* de cebola, pão *chollah* e queijos fantásticos. Tudo muito barato e ótimo atendimento. Melhor do que o concorrente, algumas portas adiante.

④ SÔNG QUÊ
134 Kingsland Road; tel.: 020-7613 3222; diariamente, almoço e jantar; £
Restaurante vietnamita cujo cardápio mais parece uma lista telefônica. Comida fresca e aromática. Atendimento muito amigável.

Hoxton Square

No final da Rivington Street, vire à direita, na Curtain Road, e depois à esquerda, na Old Street. A primeira rua à direita leva à Hoxton Square. Foi aqui que o dramaturgo Ben Jonson matou Gabriel Spencer num duelo, em 1598. Hoje é o centro de arte contemporânea do East End e um lugar badalado para a vida noturna. Logo à sua esquerda fica a **White Cube** ❽ (tel.: 020-7930 5373; <www.whitecube.com>; 3ª-sáb., 10h-18h; grátis), galeria de arte onde são vendidas as obras de Damien Hirst, Tracey Emin e dos irmãos Chapman.

Rodeie a Hoxton Square e, depois de passar a loja **Sh!**, uma *sex shop* só para mulheres, pegue à esquerda, que o levará à Pitfield Street. No n. 17, está a **Bookartbookshop**, onde se vendem edições limitadas de livros de arte, enquanto no n. 45 encontra-se uma relíquia da antiga e precária Hoxton: **Charlie Wright's International Bar** (tel.: 020-7490 8345; diariamente, até de madrugada), espelunca de propriedade do epônimo ex-levantador de pesos, onde, à noite, pode-se ouvir jazz ou dançar ao som da música dos anos 1980.

Geffrye Museum

Retornando à Old Street, siga agora na direção leste e vire à esquerda no cruzamento, para entrar na Kingsland Road. (Se for um domingo, siga reto para o mercado de flores, na **Columbia Road**, e pegue a primeira rua à direita na Hackney Road – *ver à esquerda*). Mais acima na Kingsland Road, à direita, está o **Geffrye Museum** ❾ (tel.: 020-7739 9893; <www.geffrye-museum.org.uk>; 3ª-sáb., 10h-17h; dom., 12h-17h; grátis). Abrigado num antigo conjunto de casas que servia de asilos para pobres, construído em 1714, este museu de decoração de interiores foi inaugurado em 1914 para servir de inspiração aos empregados do comércio de mobílias do East End.

Praticamente ao lado está o melhor dos muitos restaurantes vietnamitas da área, o **Sông Quê**, ver ⑪④. Para entretenimento noturno, pegue um ônibus mais acima na Kingsland Road para ir ao **Vortex Jazz Club**, à sua esquerda (tel.: 020-7993 3643; <www.vortexjazz.co.uk>) ou ao **Arcola Theatre** (tel.: 020-7503 1646; <www.arcolatheatre.com>), teatro alternativo na Arcola Street (transversal à Kingsland Road, à direita).

19 Princelet Street

Esta casa do séc. XVIII, que nunca foi restaurada, foi construída por tecelões de seda huguenotes. No século XIX, foi ocupada por judeus poloneses, que construíram uma sinagoga no jardim. Como a casa está em condições precárias, só é aberta ao público de vez em quando. Ligue para 020-7247 5352 para informações ou acesse <www.19princeletstreet.org.uk>. Há planos de que ela abrigará um Museu de Imigração e Diversidade quando for renovada.

As Docklands

A partir de c.1700, as áreas portuárias de Londres foram se desenvolvendo por concentrarem o comércio imperial britânico. Na década de 1960, entretanto, desapareceram com muita rapidez devido à adoção do contêiner para a armazenagem e o translado de carga, que requisitava navios maiores e, conseqüentemente, portos de águas profundas. Na década de 1980, todas as docas em Londres já se haviam fechado, deixando em seu rastro terrenos abandonados, desemprego e pobreza. A área foi revitalizada nos anos 1990, com a construção do segundo maior centro financeiro da capital, o complexo Canary Wharf. O principal arranha-céu da região é o prédio mais alto do Reino Unido, com 244 m de altura. Faça um passeio de trem, pegando o Docklands Light Railway (DLR) de Bank a Greenwich, para ter uma idéia da mistura de antigo e novo, rico e pobre, e depois visite o museu nas Docklands, no West India Quay, ou mesmo a Mudchute City Farm, uma fazenda urbana situada na Pier Street.

GREENWICH

Comparado ao centro de Londres, Greenwich é imponente, mas tranqüilo. Com edifícios projetados por sir *Christopher Wren e Inigo Jones – o parque real e a majestosa frente fluvial –, o bairro evoca a história marítima britânica em seu máximo esplendor.*

Igreja St. Alfege
Esta igreja, construída pelo arquiteto Nicholas Hawksmoor em 1714, fica no local onde St. Alfege, um arcebispo de Canterbury, foi morto em 1012 por invasores dinamarqueses. Em seu interior, há monumentos em memória do general Wolfe e do compositor Thomas Tallis.

DISTÂNCIA 3 km
DURAÇÃO Um dia inteiro
INÍCIO Cutty Sark
FIM Greenwich Park
OBSERVAÇÕES
Para chegar a Greenwich, pegue um barco em qualquer um dos píeres no centro de Londres, ou o trem da Dockland Light Railway (DLR) para a estação Cutty Sark, ou os trens que partem de London Bridge. Lembre-se de que o mercado completo só funciona nos fins de semana.

Uma das várias maneiras de se chegar a Greenwich é de barco, como fazia Elizabeth I, em sua galeota real, remada de Whitehall até seu palácio aqui. Hoje o barco o deixa perto do clíper *Cutty Sark*, que é o ponto de partida deste itinerário. O DLR (*ver o quadro à esquerda*) também o deixa no cais aqui. Se você pegar o trem, o *Cutty Sark* fica a cinco minutos a pé da estação – vire à esquerda na Greenwich High Road e siga por ela, pegando à esquerda na altura da Igreja St. Afege, onde a rua se bifurca. O *Cutty Sark* aparece logo adiante, à sua direita.

AO LONGO DO RIO

Cutty Sark

O *Cutty Sark* ❶ foi um clíper que transportava chá da China e, mais tarde, lã da Austrália. Lançado ao mar na Escócia em 1869, foi o último e o mais veloz desses navios e deu baixa de serviço finalmente em 1922. Seu nome advém de um poema de Robert Burns, *Tam O'Shanter*, no qual Tam conhece um grupo de bruxas, todas elas feias, exceto uma, que é jovem e bela e está vestida apenas com um "cutty sark" – uma blusa curta. A figura de proa do navio representa essa bruxa. Infelizmente, ao ser reparado em 2007, o navio foi muito avariado por um incêndio, e na altura em que este livro foi impresso ainda não se sabia quando ele seria reaberto ao público.

Gipsy Moth IV

Próximo ao *Cutty Sark*, e pequeno em relação a ele, embora não em termos de realizações, está um outro barco, o *Gipsy Moth IV* ❷. Foi neste veleiro que *sir* Francis Chichester se tornou a primeira pessoa a fazer uma viagem solo à volta do mundo, em 1966-1967.

Túnel para pedestres

Também na margem do rio fica a entrada do **Greenwich Foot Tunnel** ❸ (diariamente, do alvorecer ao escurecer; grátis), num pavilhão redondo. O túnel foi concluído em 1902, permitindo que os residentes do sul de Londres pudessem trabalhar nas docas da Isle of Dogs, no outro lado (norte) do rio. Dentro do pavilhão, há um elevador e uma longa escada em espiral pelos quais se descem os 15 m até o túnel, que é todo revestido com 200.000 azulejos brancos.

Aproveite para observar os parques e lugares históricos ao redor do túnel.

Caminho ao longo do Tâmisa

Agora caminhe pela trilha ao longo do rio, na direção leste, passando pelos dois prédios do **Royal Naval College**. O vão existente entre eles foi para garantir que a Queen's House (à sua direita) tivesse vista livre para o rio. Para ter uma vista do rio tão boa quanto essa, "reabasteça-se" na **Trafalgar Tavern**, ver 🍴①.

MUSEU MARÍTIMO

Da Park Row, vire à direita na Romney Road e atravesse a rua, para ir ao **National Maritime Museum** ❹ (tel.: 020-8858 4422; <www.nmm.ac.uk>; set.-jun., diariamente, 10h-17h; jul.-ago., diariamente, 10h-18h; grátis). O museu é formado pela Queen's House e duas alas ligadas por colunatas.

Na ala oeste fica a coleção principal, com seções sobre história naval, exploração polar, colonialismo e oceanografia. Entre os destaques, estão a Galeota Real de 1732, ornamentada

Onde comer 🍴
① TRAFALGAR TAVERN
6 Park Row; tel.: 020-8858 2909; diariamente, almoço e jantar; ££
Pub histórico construído em 1837, onde políticos vitorianos, como Gladstone e Disraeli, costumavam celebrar o fim da temporada parlamentar com jantares de peixe. Era também popular entre os escritores Thackeray, Wilkie Collins e Dickens, que localizou aqui a cena da festa de casamento em *Our Mutual Friend*. Tissot pintou de forma notável as imensas janelas que dão para o rio. Famoso por suas cestas de filhotes de arenque, os tradicionais *fish and chips* (peixe frito com batata frita) e salsicha com purê de batata também são bons.

Acima, da esquerda para a direita: a simetria entre o Royal Naval College e a Queen's House, vista do rio; cobertura do Covered Market.

Abaixo: vitral na igreja St. Alfege; âncora no letreiro de um *pub*.

Cúpula do Milênio
A nordeste de Greenwich fica o monumento britânico que marca a entrada no novo milênio: uma estrutura que lembra uma tenda de circo, com o formato de um mostrador de relógio convexo.
Foi redenominada O2 Arena e hoje é usada para apresentação de shows de música popular.

À esquerda: vista de dentro da capela do Old Naval Royal College.

Acima, da esquerda para a direita:
Greenwich Park; os tetos do "Painted Hall" e da capela do Old Royal Naval College; a casa de Vanbrugh.

Museu de Leques
No n. 12 da Crooms Hill, no extremo oeste do Greenwich Park, encontra-se o Museu de I eques (Fan Museum) (tel.: 020-8305 1441; 3ª-sáb., 11h-17h; dom., 12h-18h; entrada paga). Sua coleção de 3.500 leques do mundo inteiro vai do séc. XI ao presente. Repare no leque de Fabergé, de renda *point de gaze* e rodeado por diamantes em forma de rosas. Se você tiver meios para isso, poderá até encomendar o seu próprio e elaborado leque ao museu.

com leões, dragões e monstros, e a galeria de Nelson.

The Queen's House

Agora caminhe ao longo da colunata em direção à **Queen's House** ❺ (mesmo horário de funcionamento que o Museu Marítimo). A construção desta primeira mansão palladiana na Inglaterra começou em 1616, um projeto de Inigo Jones. Destinada à rainha Ana, esposa de James I, só ficou pronta depois de sua morte, e foi então dada por Charles I a Henrietta Maria, que nela esteve por pouco tempo, pois em 1642 explodiu a Guerra Civil.

Hoje a casa abriga a coleção de arte do Museu Marítimo, com paisagens marítimas e retratos de Joshua Reynolds e Thomas Gaisnborough, entre outros. A grande atração, contudo, é a sua arquitetura, sublime e ilusoriamente simples: a Tulipe Stairs,

Onde comer
② BAR DU MUSÉE
17 Nelson Road; tel.: 020-8858 4710; diariamente, almoço e jantar; £££
Um bar acolhedor na frente e um restaurante com jardim atrás, podendo-se comer ao ar livre no verão. Comida estilo bistrô. O serviço pode ser um pouco lento.

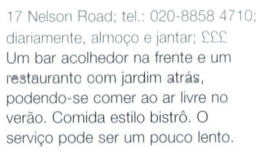

③ ADMIRAL HARDY
7 College Approach, Greenwich; tel.: 020-8858 6452; diariamente, almoço e jantar; ££
Confortável *pub* construído em 1830 que leva o nome do almirante de quem Nelson recebeu um beijo ao morrer. Cerveja e comida razoáveis, inclusive carne assada e *Yorkshire pudding* aos domingos. Um bom refúgio para aqueles cujas mulheres ou namoradas estejam fazendo compras no mercado coberto, que fica atrás.

por exemplo, foi a primeira escada em espiral sem suporte central construída na Inglaterra.

ESCOLA NAVAL

Em seguida, atravesse a rua e entre no **Old Royal Naval College** ❻ (tel.: 020-8269 4747; diariamente, jardins 8h-18h, saguão e capela 10h-17h; grátis) pelo Romney Road Gate. Construído nos terrenos do Palácio Real de Placentia (onde nasceu Elizabeth I), o complexo foi fundado em 1694 como hospital para marinheiros idosos e enfermos. *Sir* Christopher Wren foi designado arquiteto da obra e logo fez as fundações, de modo que os futuros arquitetos fossem obrigados a seguir seu projeto.

No séc. XIX, a supremacia naval britânica significava menores baixas de guerra, e o hospital foi fechado durante a década 1860. Em 1873, a Escola Naval ocupou seu lugar, aí sendo treinados os jovens oficiais até 1998, quando a escola passou para a Fundação Greenwich.

Hoje somente o "Painted Hall" e a capela são abertos ao público, tendo o primeiro sido originalmente destinado a ser o refeitório do hospital. Infelizmente, *sir* James Thornhill levou tanto tempo (1707-1726) para pintá-lo e o fez tão elaborado (ele era pago por jarda) que os marinheiros feridos nunca tiveram a chance de comer ali, e o local se tornou uma atração turística. Em 1806, o corpo do almirante lorde Nelson aí permaneceu em câmara ardente durante três dias, a seguir à sua morte na Batalha de Trafalgar, vindo mais de 30.000 pessoas para vê-lo.

A capela, concluída em 1789, é um exemplo do estilo grego adotado por James "Athenian" Stuart, com suas colunas e seus motivos clássicos.

COVERED MARKET

Deixe a Escola Naval pelo lado oeste, pegando a King William Walk, e atravesse a rua para ir ao **Covered Market** ❼ (<www.greenwich-market.co.uk>; 5ª e 6ª, 7h30-17h30; sáb. e dom., 9h30-17h30). Aqui, você pode olhar as barracas de comidas, bijuterias, roupas, artigos de toalete, bem como as lojas ao lado, ou ir a um *pub* ou restaurante, ver 🍴② e 🍴③, para comer algo.

PARQUE DE GREENWICH

Do Covered Market, retorne a King William Walk e siga na direção sul, ao longo do Museu Marítimo, e cruze os portões do **Greenwich Park** (tel.: 020-8858 2608); <www.royalparks.org.uk>; diariamente, das 6h até escurecer; grátis).

Observatório e Planetário

Siga pela rua principal do parque, subindo a colina até o **Old Naval Observatory** ❽ (tel.: 020-8312 8565; diariamente, 10h-17h; grátis). Fundado em 1675 por Charles II para estudar astronomia e determinar a longitude, foi projetado por Wren (um astrônomo amador) para Flamsteed, o Astrônomo Real, que viveu e trabalhou aqui até sua morte, em 1719. Hoje, são exibidos no local instrumentos científicos, como relógios de sol, relógios atômicos e os cronômetros marítimos inventados por Harrison.

No teto, fica um balão de tempo (para determinação e transmissão da hora), criado em 1833. Às 12h55, diariamente, o balão sobe pelo mastro, atingindo o topo às 12h58 e caindo exatamente às 13h. O balão pode ser visto claramente do rio, e os barcos usavam-no para acertar a hora. No pátio abaixo, fitas de cobre marcam no chão o **Greenwich Meridian**, a linha que divide os hemisférios leste e oeste.

Perto dali, fica o South Building, prédio que abriga o **Planetarium** (tel.: 020-8312 8575; exibições de hora em hora; 2ª-6ª, 13h-16h; sáb. e dom., 11h-16h; entrada paga).

Depois de admirar a vista, retorne ao centro, ou, se você tiver filhos, talvez queira levá-los ao lago (a nordeste do Observatório), onde se alugam barcos, ou ao parquinho junto ao Museu Marítimo.

Casa de Vanbrugh
No extremo leste do parque fica uma extravagante edificação, que mais parece uma fortaleza (*ver acima*), construída em 1719 pelo arquiteto e dramaturgo *sir* John Vanbrugh para ser sua própria moradia durante seu período como inspetor do Royal Naval Hospital. O modelo do castelo foi a Bastilha Francesa, onde Vanbrugh esteve preso em 1690-1692, acusado de fazer espionagem para a Grã-Bretanha.

Casa do Guarda do Parque de Greenwich

No extremo oeste do parque de Greenwich, na Chesterfield Walk, fica a Ranger's House (tel.: 020-8853 0035, abr.-set., 2ª-4ª e dom., 10h-17h; entrada paga). Elegante mansão georgiana construída em 1723, tornou-se a residência oficial do guarda do parque depois de 1815, quando este posto passou a ser exercido pela princesa Sopia Matilda, sobrinha de George III. Hoje abriga a coleção do magnata de diamantes *sir* Julius Wernher (1850-1912). Entre as 700 obras de arte exibidas estão pinturas religiosas primitivas, quadros de pintores holandeses clássicos, esculturas góticas de marfim, bronzes da Renascença e belos objetos de prata.

KEW

O bairro de Kew, no sudoeste de Londres, é sinônimo de seus jardins botânicos reais, também conhecidos como Kew Gardens, onde se encontram 30.000 tipos de plantas espalhados por 120 hectares, dezenas de torres decorativas, estufas, lagos e até mesmo um pagode chinês.

Museu de máquinas a vapor
Do outro lado do rio, na altura de Kew Gardens, está o Kew Bridge Steam Museum (Green Dragon Lane; tel.: 020-8568 4757; 3ª-dom., 11h-17h; entrada paga, porém gratuita para menores de 16 anos). Abrigado numa estação de bombeamento de água vitoriana, o museu exibe máquinas de bombeamento a vapor, enquanto em seu exterior há uma estreita ferrovia que opera nos finais de semana. Para chegar ao museu, suba a Kew Road, vire à esquerda na Kew Bridge Road e depois à direita na Green Dragon Lane.

DISTÂNCIA 3 km
DURAÇÃO Metade de um dia a um dia inteiro
INÍCIO/FIM Estação de metrô Kew Gardens
OBSERVAÇÕES
A melhor maneira de ir a Kew, partindo do centro de Londres, é de metrô: compre um bilhete para a zona 3 e pegue um trem da linha District que vá em direção ao oeste, com Richmond como destino final. Os Kew Gardens ficam a poucos minutos a pé da estação de metrô. Ao sair da estação, suba a Station Parade e depois siga pela Lichfield Road. Uma alternativa é pegar um trem na estação de Waterloo, com destino a Kew Bridge.

Onde comer

① THE ORANGERY
Kew Gardens; tel: 020-8332 5686; diariamente, café-da-manhã, almoço e chá; 10 h até uma hora antes dos jardins fecharem; ££
Nunca bem-sucedida como estufa para o cultivo de laranjas (a luz era muito baixa), esta construção clássica de *sir* William Chambers é, no entanto, um belo cenário para um restaurante. Oferece saladas, massas, sanduíches e bolos.

② MA CUISINE
9 Station Approach; tel: 020-8332 1923; diariamente, café-da-manhã, almoço e jantar; £££
O restaurante mais valorizado da área (note especialmente as opções do almoço). Recria o conceito de um bistrô francês, com comida caseira e mobiliário pouco sergo.

Os **Royal Botanic Gardens** (tel.: 020-8332 5655; <www.kew.org.uk>; verão: 2ª-6ª, 9h30-18h30, sáb. e dom., até 19h30; inverno: 9h30-16h15; as estufas e os museus fecham meia hora mais cedo do que os jardins; entrada paga, mas gratuita para menores de 17 anos) ficam em Kew, bairro muito arborizado nos arredores de Londres. O terreno passou às mãos da realeza na década de 1720, e os jardins foram criados pelo príncipe Frederico, filho de George II, em 1731. Sua viúva, Augusta, introduziu o elemento botânico em 1759, e o terreno foi ajardinado pelo célebre paisagista "Capability" Brown. Entretanto, Kew se tornou famoso quando, em 1771, o botanista *sir* Joseph Banks retornou da viagem feita ao redor do mundo, com capitão Cook trazendo dezenas de plantas desconhecidas e exóticas, e passou a cultivá-las nestes jardins reais.

A ESTUFA DAS PALMEIRAS E O LAGO

Entre nos jardins pelo **Victoria Gate** ❶, apanhe um mapa dos jardins e siga na direção norte, para **Palm House** ❷, que fica de frente para um lago. Projetada por Decimus Burton, foi a primeira estrutura de ferro e vidro desse tipo e desse porte no mundo, tendo sido concluída em 1848. Uma vez dentro deste vaporoso ambiente tropical, suba pela escada em espiral, até as galerias, para ver as bananeiras, os coqueiros e os mamoeiros.

No subsolo fica o **Marine Display**, com reservatórios de corais, peixes, algas e mangues. Ao lado da Palm House está a **Waterlily House** ❸, estufa que rodeia um lago circular coberto de gigantescas vitórias-régias.

Do outro lado do lago está mais uma criação de Decimus Burton, o **Plants and People Museum** ❹, que mostra a dependência do ser humano nas plantas, e cujos objetos são exibidos nos belos armários de mogno vitorianos do museu.

PRINCESS OF WALES CONSERVATORY

Continue na direção noroeste, para além do lago, e siga as indicações para o **Princess of Wales Conservatory** ❺. Esta estufa é dividida em dez zonas climáticas, adequadas para todo tipo de planta, desde cactos até plantas carnívoras.

PALÁCIO DE KEW

A seguir, em direção ao **Kew Palace** ❻ (abr.-set., diariamente, 10h-17h; entrada paga), também a noroeste, faça uma pausa para um lanche no **Orangery**, ver ⓝ①. Originalmente construído para um comerciante holandês, este palácio, o menor da Grã-Bretanha, foi arrendado à rainha Carolina em 1728 "pelo valor de 100,00, acrescido de uma corça gorda". Mais tarde, George III comprou o palácio e nele se recuperou de seu primeiro período de insanidade. O jardim, que fica nos fundos do palacete, é no estilo típico do séc. XVII: gramado com canteiros de flores, variedades de ervas aromáticas, além de estátuas e esculturas como ornamentação.

Se seu tempo tiver terminado, retorne ao metrô pelo mesmo caminho. Para aqueles que desejarem ir a um restaurante antes da viagem de volta, uma boa opção é o **Ma Cuisine**, ver ⓝ②, que fica numa rua transversal à Station Parade.

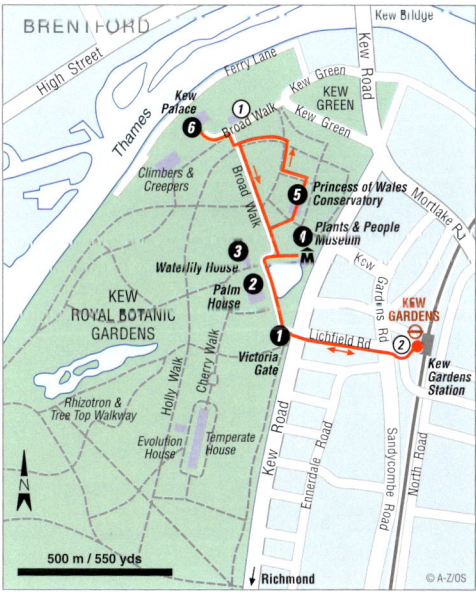

Acima, a partir da extrema esquerda: Palm House; Temperate House; *Pink* Rhododendron, de Sally Keir, na galeria Shirley Sherwood; Waterlily House. **Abaixo, à esquerda:** Palácio de Kew.

Hampton Court
No verão, é possível visitar Kew Gardens na parte da manhã e Hampton Court à tarde. Os barcos partem de Kew para Hampton Court às 13h30 e retornam às 15h, 16h e 17h. Para maiores informações e confirmação dos horários, ligue para Westminster Piers, 020-7930 4721.

UNDERGROUND

INFORMAÇÕES

Informações práticas e sugestões de hotéis e restaurantes, para todos os gostos e bolsos, organizadas por assunto e em ordem alfabética.

A-Z	102
HOSPEDAGEM	112
ONDE COMER	118

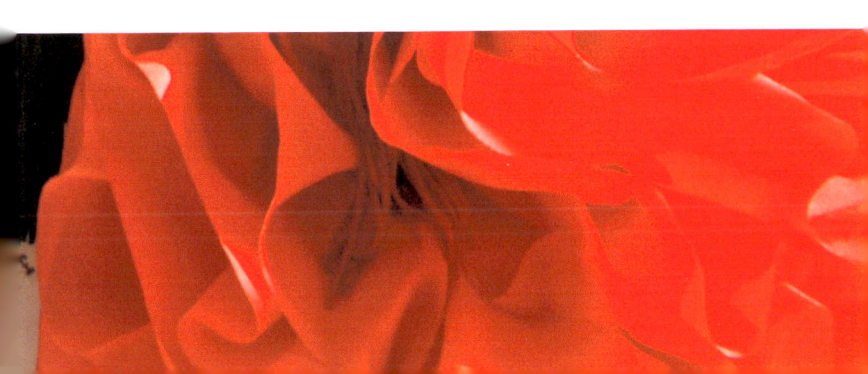

A

ACESSO PARA DEFICIENTES FÍSICOS

Um excelente guia é o *Access in London*, de Gordon Couch, William Forrester e Justin Irwin (Quiller Press). O London Tourist Board (Conselho de Turismo de Londres) também fornece um folheto grátis, *London for All*, disponível nos Centros de Informação Turística. Para informações sobre o transporte público, você poderá obter *Access to the Underground* (grátis) nas bilheterias das estações e *Access to Mobility* (<www.tfl.gov.uk>), da Transport for London.

O Artsline é um serviço de informações por telefone (grátis) sobre artes e entretenimento (tel.: 020-7388 2227; <www.artsline.org.uk>), 2ª-6ª, 9h30-17h30), oferecido aos deficientes físicos.

ACHADOS E PERDIDOS

Caso você perca seus pertences em transportes públicos ou em táxis, contate o setor principal de achados e perdidos da Transport for London, 200 Baker Street, NW1 5RZ (tel.: 0845 330 9882), 2ª-6ª, 8h30-16h, ou preencha um formulário que pode ser obtido em qualquer estação de metrô ou garagem de ônibus.

Se você perder seu passaporte, comunique o fato à sua embaixada e à delegacia ("police station") mais próxima. Obtenha os números de telefone ligando para o auxílio à lista ("directory enquiries"), tels.: 118 500, 118 888 ou 118 811.

Telefones dos aeroportos
Heathrow, tel.: 0870-000 0123
Gatwick, tel.: 0870-0002468
Luton, tel.: 01582-405100
Stansted, tel.: 0870-000 0303
London City, tel.: 020-7646 0000

AEROPORTOS E CHEGADA

(Veja também Transporte Público)
Aeroportos

Londres tem dois aeroportos internacionais principais: Heathrow, a 24 quilômetros a oeste, e Gatwick, a 40 quilômetros ao sul; e três aeroportos menores: Stansted e Luton, ao norte, e London City, a leste.

Heathrow: O modo mais rápido de se chegar ao centro de Londres é pelo trem expresso (Heathrow Express) para a estação de Paddington, que passa de 15 em 15 minutos entre 5h e 23h45 e leva 15 minutos. De Paddington, há conexão com várias linhas de metrô (*ver o mapa dentro da contracapa*). A passagem de ida custa £14,50, ida e volta, £28 (tel.: 0845-600 1515). Uma opção mais barata é o serviço Heathrow Connect, que leva 25 minutos e pára em várias estações; a passagem de ida custa £6,90 (tel.: 0845-748 4950).

A linha de metrô Piccadilly leva ao centro de Londres em 50 minutos, passando por Kensington, Knightsbridge e Piccadilly, no trajeto para King's Cross, e opera diariamente das 5h (6h aos domingos) às 23h40.

A empresa de ônibus National Express tem ônibus que vai da estação de ônibus em Heathrow até a estação de ônibus Victoria, e o tempo de viagem é de 45-80 minutos, dependendo do tráfego. Para mais informações, tel.: 0870-580 8080, <www.nationalexpress.com>.

Gatwick: O trem Gatwick Express sai de Gatwick para Victoria Station de 15 em 15 minutos, de 4h35-1h35.

PARK LANE W1

CITY OF WESTMINSTER

A viagem leva 30 minutos. Você poderá usar também os serviços de trem não-expresso para Victoria e King's Cross.

Stansted: O trem Stansted Express parte de 15 em 15 minutos e leva direto à estação Liverpool Street. A viagem dura 45 minutos.

London City: A parada do trem DLR para o aeroporto London City fica a seis minutos da estação de metrô Canning Town (linha Jubilee), e o trem passa de 10 em 10 minutos, de 5h30-1h15.

Luton: A conexão entre o aeroporto de Luton e King's Cross e Blackfriars é feita pelos trens da Thameslink; passam de 15 em 15 minutos, de segunda a sexta, e a viagem leva 40 minutos.

AGÊNCIAS DE TURISMO

A **Original Tour** (tel.: 020-8877 2120; <www.theoriginaltour.com>) é a maior agência de turismo para excursões pelos pontos turísticos da cidade e opera o ano todo. Os passeios são feitos em ônibus aberto, de dois andares, e o serviço inclui entradas e saídas de ônibus em 90 diferentes locais, além de comentários gravados em diversas línguas. Há também um serviço para crianças de 5 a 12 anos, o Kid's Club. Os bilhetes podem ser adquiridos no ônibus ou antecipadamente.

A **Big Bus Company** (tel.: 020-7233 9533; <www.bigbustours.com>) oferece três trajetos diferentes, com entradas e saídas de qualquer ponto turístico.

A **Duck Tours** (tel.: 020-7928 3132; <www.londonducktours.co.uk>). A viagem leva de 35-40 minutos utiliza veículos anfíbios, usados na Segunda Guerra Mundial, que partem de County Hall, percorrem os famosos marcos londrinos e depois continuam o passeio pelas águas do rio Tâmisa. Bom divertimento para as crianças.

ALUGUEL DE CARRO

A menos que você esteja planejando fazer várias viagens para regiões fora da capital, alugar um carro em Londres provavelmente será mais um estorvo do que uma ajuda e certamente lhe custará caro, devido à taxa de congestionamento (*ver abaixo*) e ao preço alto dos estacionamentos. É estressante dirigir no centro de Londres por causa da impaciência dos motoristas em geral e das inúmeras ruas de mão única.

Se você quiser alugar um carro, lembre-se de que deve dirigir à esquerda e observar os limites de velocidade (há cada vez mais câmeras espalhadas pela cidade). É estritamente ilegal dirigir depois da ingestão de bebidas alcoólicas, e as penalidades são severas. A lei também exige que motoristas e passageiros usem cinto de segurança. Para maiores informações sobre como dirigir na Grã-Bretanha, consulte o *Highway Code*.

Taxa de Congestionamento: Os automóveis usados em área demarcada como "Congestion Zone" ("área de congestionamento") – que se estende de Kensington à City, entre 7h e 18h30, de segunda a sexta – são

Acima, da esquerda para a direita: crianças no Museu de História Natural; cobiçado endereço em Londres.

filmados e seus motoristas, multados, caso não paguem a taxa de £8,00 até a meia-noite do mesmo dia (ou £10,00 no dia seguinte). O pagamento pode ser efetuado em muitas lojas pequenas, inclusive em jornaleiros, ou por telefone (tel.: 0845 900 1234) ou pelo site <www.cclondon.com>.

Combustível: Vende-se gasolina em postos e do lado de fora de muitos supermercados (preço por litro).

Estacionamento: É muito problemático estacionar no centro de Londres. Os parquímetros são um pouco mais baratos do que os NCP (edifícios-garagem), porém em alguns desses estacionamentos a permanência máxima é de duas horas; além disso, pode ser difícil encontrar um livre. Não deixe seu carro estacionado em um estacionamento com parquímetro nem por um minuto a mais do que o permitido, e não retorne para inserir mais moedas quando acabar o seu tempo – você poderá ser multado por ambas as infrações. A maioria dos estacionamentos com parquímetro são gratuitos depois das 18h30, de segunda a sexta, e depois das 13h30, aos sábados, na maior parte das áreas, e o dia todo aos domingos, mas não deixe de verificar isso no parquímetro.

Panes e enguiços: Assistência 24 horas: AA, tel.: 0800 887 766; RAC, tel.: 0800 828 282.

Limites de velocidade: 50 kph no perímetro urbano, 100 kph nas ruas em áreas menos edificadas, 112 kph nas auto-estradas e rodovias de pista dupla.

Aluguel de bicicletas

Algumas das empresas confiáveis para se alugar bicicletas em Londres são: Banana Rent (tel.: 0845 644 2868; <www.bananarent.com>); London Bicycle Tour Company (tel.: 020-7928 6838; <www.londonbicycle.com>); e OY Bike (tel.: 0845 226 5571; <www.oybike.com>).

CENTROS DE INFORMAÇÃO TURÍSTICA

O Conselho de Turismo (<www.visitlondon.com>) oferece informações sobre os pontos turísticos, eventos e questões de ordem prática, além de um serviço comercial de reservas em hotéis.

Você também poderá obter informações no Britain and London Visitor Centre, 1 Regent Street, Piccadilly Circus, SW1Y 4XT (2ª, 9h30-18h30; 3ª-6ª, 9h-18h30; sáb. e dom., 10h-16h, exceto em jun.-set.: sáb., 9h-17h.

Há outros centros de informação turística: na City (St. Paul's Churchyard; tel.: 020-7332 1456); em Greenwich (Pepys House, 2 Cutty Sark Gardens; tel.: 0870 608 2000); e em South Bank (Vinopolis, 1 Bank End; tel.: 020-7357 9168.

CLIMA

O clima londrino geralmente é ameno o ano todo. É raro nevar, e a temperatura média no mês de janeiro é de 6°C. A temperatura média no verão é de 18°C, mas ela pode subir muito, tornando a cidade bastante abafada (ar-condicionado não é universal). Chove com freqüência, por isso tenha sempre consigo um guarda-chuva.

CÓDIGO POSTAL

A primeira metade dos códigos postais londrinos indica a área (WC = West Central, SE = South East) e a segunda metade, que é usada somente em correspondências, identifica o trecho.

CORREIOS

A maioria das agências de correio funciona de 2ª a 6ª, das 9h-17h, e sáb., das 9h-12h. Podem-se obter selos nas agências de correio e em determinadas lojas, em geral nos jornaleiros, e nas máquinas de selo do lado de fora de algumas agências. Há dois tipos de serviço dentro do Reino Unido: primeira classe ("first class"), em que a correspondência chega a seu destino no dia seguinte, e segunda classe ("second class"), que leva pelo menos mais um ou dois dias. A principal agência de correio em Londres (24-28 William IV Street; 2ª, 4ª e 6ª, 8h30-18h30; 3ª abre às 9h15; sáb., 9h-17h30) fica próximo à Trafalgar Square, atrás da igreja St. Martin-in-the-Fields.

O custo para enviar uma carta ou um pacote depende de seu peso e volume.

CRIANÇAS

Transporte Público: até quatro crianças de 11 anos de idade ou menos podem viajar de graça nos metrôs, se acompanhadas de um adulto pagante. Se acompanhadas por um adulto que tenha um vale transporte (Oyster ou Travelcard), as crianças de 11 a 12 anos podem fazer quaisquer percursos (exceto nos horários de pico) por uma libra por dia, ida e volta ou somente ida ("Kids for a Quid"); o mesmo se aplica aos jovens de 14 a 15 anos que tenham um vale transporte Oyster com foto (que pode levar até duas semanas para ser obtido). Os ônibus são grátis para os menores de 16 anos, mas os de 14-15 anos precisam de um cartão Oyster com foto.

Provisões: Leite em pó e fraldas podem ser adquiridos em farmácias e supermercados. Se você precisar de remédios tarde da noite que não requerem receita médica, como paracetamol líquido (Calpol), a Bliss Pharmacy (5 Marble Arch; tel.: 020-7723 6116) fica aberta até meia-noite diariamente.

CRIMINALIDADE

Na rua, segure bem a bolsa e guarde a carteira no bolso da camisa. Depois que escurecer, fique atento em ruas mais vazias e dentro do metrô. Utilize apenas táxis pretos ou táxis licenciados.

Em caso de emergência, disque 999 de qualquer telefone (a ligação é gratuita). Ou então ligue para a delegacia mais próxima, listada sob a palavra "Police" na lista telefônica.

D

DINHEIRO

Moeda: A unidade monetária é a libra esterlina (£), dividida em 100 *pences* (p). Notas bancárias: £5, £10, £20, £50. Moedas: 1p, 2p, 5p, 10p, 20p, 50p, £1, £2. Algumas lojas maiores em Londres aceitam euros.

Bancos: Funcionam normalmente das 9h30 às 16h30/17h, de 2ª-6ª, e sáb.,

Acima, da esquerda para a direita: indicação de taxa de congestionamento; guardas de trânsito se esbaldando.

em muitas áreas comerciais. Os grandes bancos ingleses tendem a oferecer taxas de câmbio similares, portanto, só vale a pena pesquisar se você for trocar grandes somas de dinheiro. Os bancos não cobram comissão sobre cheques de viagem em libra esterlina, e, se um banco londrino é afiliado ao seu banco, nada será cobrado para cheques em outras moedas. Entretanto, será cobrada uma taxa para trocar dinheiro em espécie por uma outra moeda. Para trocar cheques de viagem, você precisará apresentar um documento de identidade ou passaporte.

Caixas eletrônicos: A maneira mais fácil de sacar dinheiro é no caixa eletrônico ("cashpoint"), usando o seu cartão de débito, pois em geral as taxas oferecidas são as melhores. Há inúmeros caixas eletrônicos por toda a cidade, do lado de dentro e de fora dos bancos, em supermercados, em estações ferroviárias e nos metrôs. Eles operam globalmente, e os sistemas de débito incluem Maestro/Cirrus, Switch, Visa e outros. Os caixas eletrônicos são acessados utilizando-se uma senha (PIN code) composta de números.

Cartões de crédito: A maioria das lojas, restaurantes e hotéis aceita cartão de crédito. Os cartões aceitos são indicados na entrada ou ao lado da caixa registradora.

Casas de câmbio: Algumas agências de viagem, como a Thomas Cook, operam um bureaus de change com taxas equiparáveis. Há também casas de câmbio particulares (algumas ficam abertas 24 horas), onde as taxas às vezes são bastante baixas, mas as comissões são altas. Se você usar uma delas, assegure-se de que ela apresente uma etiqueta do código de conduta do London Tourist Board.

E

ELETRICIDADE

A voltagem na Grã-Bretanha é de 240 V AC, 50 HZ. As tomadas contêm três orifícios, em vez de dois, assim sendo, leve um adaptador, se necessário.

EMBAIXADAS

Austrália: Austrália House, Strand, WC2B 4LA; tel.: 020-7379 4334

Brasil: 32 Green Street, London W1K 7AT; tel.: 020-7399 9000

Canadá: Macdonald House, 1 Grosvenor Square, W1X 4AB; tel.: 020-7258 6600

Irlanda: 17 Grosvenor Place, SW1X 7HR; tel.: 020-7235 2171

Nova Zelândia: 80 Haymarket, SW1Y 4TQ; tel.: 020-7930 8422

EUA: 24 Grosvenor Square, W1A 1AE; tel.: 020-7499 9000

EMERGÊNCIAS

Para chamar a polícia, o corpo de bombeiros ou uma ambulância, disque 999 de qualquer telefone (não requer dinheiro nem cartão) e informe à telefonista o serviço de que você necessita.

F

FUMO

Desde julho de 2007, é proibido fumar no interior de qualquer espaço público na Inglaterra, inclusive em *pubs*, clubes e bares (embora não nos jardins dos *pubs*).

FUSO HORÁRIO

No inverno, a Grã-Bretanha está na Hora Média de Greenwich (GMT), que é oito horas adiante de Los Angeles, cinco horas adiante de Nova York e Montreal e dez horas atrás de Sydney. No verão, do último domingo de março ao último domingo de outubro, os relógios são adiantados em uma hora.

I

INTERNET

O acesso gratuito à internet sem fio é cada vez mais comum nos cafés, hotéis, *pubs* e livrarias, em Londres. O acesso pago é oferecido em diversos locais. Para localizá-los, acesse <www.easyinternetcafe.com>.

L

LEIS ALFANDEGÁRIAS

Não há restrições quanto ao transporte de artigos entre os países da União Européia (UE), contanto que tenham sido adquiridos na UE. Contudo, a alfândega britânica estabeleceu os seguintes "níveis de orientação" para objetos de uso pessoal:

Fumo: 3.200 cigarros ou 400 cigarrilhas ou 200 charutos ou 3 kg de tabaco. (Para cigarros ou fumo oriundos da Bulgária, República Tcheca, Estônia, Hungria, Látvia, Lituânia, Polônia, Romênia, Eslováquia e Eslovênia, o limite é de 200 cigarros ou 250 g de fumo.)

Bebida alcoólica: 10 litros de destilado, 20 litros de vinho fortificado, 90 litros de vinho, 110 litros de cerveja.

- Os limites para aqueles que entrarem no país vindos de um país que não seja membro da UE são:
- Fumo: 200 cigarros ou 100 cigarrilhas ou 50 charutos ou 250 g de tabaco.
- Bebida alcoólica: 1 litro de destilado, ou 2 litros de vinho fortificado ou de espumante, ou 2 litros de vinho (2 litros adicionais de vinho, se não for comprado nenhum destilado).
- Perfume: 60 cc de perfume e 250 cc de água-de-colônia.
- Não há restrições quanto à soma de dinheiro que se pode trazer.

LEITURA ADICIONAL

A Literary Guide to London, de Ed. Glinet. Guia de ruas bem detalhado.
London: The Biography, de Peter Ackroyd. História anedótica, de agradável leitura.
London Orbital, de Ian Sinclair. Uma caminhada pela auto-estrada M25.
London Under London, de Richard Trench e Ellis Hillman. Traça o labirinto de túneis sob as ruas.
Oliver Twist ou *Bleak House*, de Charles Dickens. Romances londrinos clássicos.

Acima, da esquerda para a direita: abraços no Soho; fregueses no mercado de flores da Columbia Road.

Placas comemorativas
A primeira placa comemorativa de cerâmica foi afixada em 1867 na frente da 24 Holles Street, W1, pela Royal Society of Arts, em homenagem a lorde Byron, que ali nasceu. Existem cerca de 800 placas desses por toda Londres, em comemoração a antigos e famosos moradores. Cada uma delas fornece dados básicos sobre a pessoa em questão.
A concessão de uma placa é fortuita – muitas são afixadas depois de os descendentes as proporem ao English Heritage; contudo, a pessoa homenageada tem de estar morta há pelo menos 20 anos. Até o presente, as placas têm se destinado a políticos e artistas.

Reembolso de imposto para turistas

O imposto VAT (IVA, em português), atualmente 17,5%, é cobrado sobre a maior parte dos produtos à venda no Reino Unido. Os turistas que não pertencem à UE podem exigir seu reembolso, se adquirirem artigos acima de uma determinada quantia. Para isso, devem preencher um formulário de reembolso de VAT, disponível nas lojas, e apresentá-lo à alfândega ao partirem, juntamente com os artigos e recibos. Peça maiores informações nas lojas ou no aeroporto, ou acesse <www.hmrc.gov.uk>.

Soho in the Fifties, de Daniel Farson. Retrato de Soho no auge de seu período devasso.

M

MAPAS

O livro *London A-Z* cobre detalhadamente o centro e as redondezas da cidade, inclui um índice com todas as ruas e é vendido em vários formatos. Mapas gratuitos do metrô estão disponíveis nas estações de metrô.

MÍDIA

Jornais: Entre os principais jornais do país estão: *Daily Telegraph* e *The Times* (ambos conservadores), *The Independent* (liberal) e o *The Guardian* (esquerda moderada). A maioria deles tem edição dominical. O *Financial Times* é orientado para finanças e comércio. Os tablóides (*The Sun*, *Star*, *Daily Mail*, *Daily Express* e *Metro*) são todos conservadores, com exceção do *Daily Mirror*. O *Evening Standard* (2ª-6ª) tem uma boa listagem de filmes e peças teatrais em cartaz. Jornais estrangeiros são vendidos em muitos jornaleiros e nas principais estações ferroviárias.

Há diversos jornais gratuitos produzidos especificamente para aqueles que têm de viajar para chegar ao local de trabalho: *Metro*, matutino, e *The London Paper* e *London Lite*, vespertinos. Todos eles contêm boas listas de indicações.

Revistas com informações sobre lazer, cultura e entretenimento: a mais completa é a revista semanal *Time Out*.

Televisão: A BBC é financiada por uma taxa anual cobrada de todas as residências com aparelho de TV. A ITV, Channel 4 e Channel 5 são financiadas por publicidade. Há também dezenas de canais a cabo e por satélite.

Rádio: As estações da BBC incluem Radio 1 (98.8 FM, música popular), Radio 2 (89.2 FM, música para fundo musical), Radio 3 (91.3 FM, música clássica), Radio 4 (93.5 FM, atualidades, peças teatrais, discussões culturais etc.), BBC London (94.9 FM, música, bate-papo) e BBC World Service (648 kHz, notícias). As estações comerciais incluem Capital FM (96.8 FM, música pop), Jazz FM (102.2 FM) e Classic FM (100.9 FM).

P

PESOS E MEDIDAS

Embora as distâncias ainda sejam medidas em milhas e as bebidas ainda sejam servidas como *pints* (quartilhos), oficialmente o sistema métrico deve ser utilizado nos pesos e medidas de todos os produtos.

S

SAÚDE E ATENDIMENTO MÉDICO

Os cidadãos da UE têm direito a tratamento gratuito, se tiverem um European Health Insurance Card (cartão de seguro-saúde europeu). Os cidadãos de outros países têm de pagar por qualquer tratamento, exceto no caso de tratamentos de emergência (sempre gratuito). Entre os principais hospitais estão Charing Cross Hospital (Fulham Palace Road, W6, tel.: 020-8846 1234) e St. Thomas's (Lambeth Palace Road, SE1, tel.: 020-7188 7188). O departamento odontológico do Guy's Hospital fica na St. Thomas Street, SE1, tel.: 020-7188 0512. Para saber onde fica o hospital ou o médico mais próximo, ligue para NHS Direct, tel.: 0845 4647. Farmácia que funciona até tarde: Bliss Chemist, 5 Marble Arch, W1, aberta até a meia-noite.

SITES

Além dos muitos sites listados neste guia, os sites abaixo contêm informações úteis sobre Londres:
<www.bbc.co.uk/london> (BBC London)
<www.thisislondon.com> (site do jornal *Evening Standard*; listagens úteis)
<www.metro.co.uk> (site do jornal *Metro*)
<www.london-se1.co.uk> (informações sobre South Bank e Bankside)
<www.streetmap.co.uk> (localizador de endereços)
<www.24hourmuseum.co.uk> (informações atualizadas sobre as exposições nos museus)

TÁXIS

Os **táxis pretos** são licenciados e dispõem de taxímetro. Eles podem ser chamados na rua, se sua placa "for hire" ("livre") estiver iluminada. Há também pontos de táxi nas principais estações ferroviárias e em vários outros locais na cidade, ou você poderá chamar um táxi pelo telefone 0871 871 8710. Todos os táxis pretos têm acesso para cadeira de roda.

Os **minicabs** só podem ser contratados por telefone; não podem pegar passageiros na rua. Uma das empresas confiáveis é a Addison Lee, tel.: 020-7387 8888; <www.addisonlee.com>.

TELEFONES

O código de Londres é 020. Para ligar de outros países para Londres, disque "44", o código de acesso internacional da Grã-Bretanha, em seguida 20 (o código londrino, sem o "0"), e o número de telefone de oito dígitos.

Acima, da esquerda para a direita: Os ônibus vêm sempre todos de uma vez; Gatwick Express.

Maratona no metrô

Há 275 estações de metrô, e, até a presente data, o tempo mais curto que se levou para visitar todas elas foi de 19 horas.

Bilhetes e Tarifas

Os bilhetes só de ida ou só de volta nas redes de transporte londrinas são muito caros, então é mais vantajoso comprar um dos muitos passes para múltiplas viagens. Londres é dividida em seis zonas de tarifas, e as zonas 1 e 2 cobrem todo o centro da cidade. Os Travelcards, cartões com valor fixo, permitem um número ilimitado de viagens no metrô, nos ônibus e nos trens DLR. Um Travelcard com validade de um dia (após 9h30) para as zonas 1 e 2 custa £5,10 (£3,30 para crianças de 5 a 15 anos). Você poderá também adquirir cartões com validade de três ou sete dias. Os Oystercards são cartões carregáveis (com dinheiro em espécie ou cartão de crédito) e debitados nos validadores (equipamentos que fazem a leitura dos cartões) instalados nas estações de metrô e nos ônibus. São mais baratos do que os Travelcards, se você pretende fazer poucas viagens por dia. Os Travelcards e os Oystercards podem ser adquiridos nas estações de metrô e de DLR e nos jornaleiros. Eles podem ser requisitados com antecedência pelo site <www.visitbritaindirect.com>. Crianças menores de 16 anos têm direito de viajar de graça nos ônibus, em quaisquer horários, e as menores de 11 anos viajam de graça no metrô e no DLR em horários que não sejam de pico, contanto que estejam acompanhadas de um adulto. Para maiores detalhes sobre todas as tarifas, acesse <www.tfl.gov.uk>.

LONDON

Para ligar da Grã-Bretanha para outros países, disque 00, seguido do código internacional do país que você deseja e depois o número: Austrália (61); Brasil (55); Canadá e EUA (1); Irlanda (353) etc.

Apesar de o uso de celulares ter se generalizado, Londres ainda possui um número bastante grande de telefones públicos; a maioria deles aceita cartões telefônicos, que podem ser adquiridos nas agências de correio e nos jornaleiros, em valores que vão desde £1,00 a £20,00. Nos telefones públicos que funcionam com moedas, a menor moeda aceita é a de 20p.

Telefones úteis

Emergência – polícia, corpo de bombeiros, ambulância: tel.: 999
Telefonista – (caso não consiga conexão): tel.: 100
Telefonista internacional – tel.: 155
Auxílio à lista – (Reino Unido): tel.: 118500 ou 118888 ou 118811
Auxílio à lista internacional – tel.: 118 505 ou 118 866 ou 118 899

TRANSPORTE PÚBLICO

O mapa de transportes de Londres é dividido em seis zonas, que se espalham a partir do centro da cidade (zona 1), cobrindo também os arredores (Greater London). As tarifas de metrô e de trem são estabelecidas conforme as zonas pelas quais se viaja. Os vales-transportes por um dia permitem o uso ilimitado de metrô, de trens comuns e dos DLR e de ônibus em zonas específicas e começam a partir de £5,10 para as zonas 1-2, fora do horário de pico (após as 9h30).

Metrô

O meio de transporte mais rápido e mais fácil para se deslocar em Londres é o metrô (em inglês, *underground* ou *tube*). Tente evitar as horas de *rush* (8h-9h30 e 17h-18h30), quando os trens ficam superlotados. O metrô funciona das 5h30 até pouco depois da meia-noite. Não deixe de comprar um bilhete, e guarde-o depois de passar pela barreira, pois é necessário apresentá-lo na saída.

Há uma tarifa básica de £4,00 para um bilhete de ida que permite o deslocamento por quaisquer zonas. Se você planeja usar muito o metrô, é aconselhável comprar um cartão Oyster (*ver o quadro à direita*). Para maiores informações, tel.: 020-7222 1234; <www.tfl.gov.uk>.

Docklands Light Railway (DLR)

Os trens DLR vão de Bank e Tower Gateway a destinos no leste e no sudeste de Londres. Os bilhetes são do mesmo tipo e preço que os do metrô.

Trem

A rede ferroviária em Londres oferece conexões para áreas que não têm linhas de metrô; os cartões usados nos ônibus e metrôs são válidos também para os trens, para trajetos dentro das zonas corretas. Os trens da Thameslink percorrem o centro da cidade, e os da London Overground conectam Richmond com Stratford pelo norte da capital. Há outras linhas que partem das principais estações ferroviárias de Londres, como Waterloo, King's Cross, London Bridge e Liverpool Street. Para saber os horários e outras informações, tel.: 08457 484 950; <www.nationalrail.co.uk>.

Ônibus

Se você não tiver pressa, uma boa maneira de ver Londres é andando de ônibus; a rede de ônibus é bastante abrangente. A tarifa básica é de £2,00. Também neste caso é mais vantajoso comprar um cartão Oyster, uma vez que, com isso, cada trajeto passa a custar £1,00, e o preço total é limitado a £3,00 por dia. Há cartões com validade de um dia por £3,50, ou de sete dias por £14,00. Nas rotas mais populares, há ônibus noturnos a noite inteira. Mapas das rotas dos ônibus estão disponíveis nos Travel Information Centres.

Barco

Uma excelente maneira de ver os cartões-postais de Londres é fazendo um passeio de barco, e há vários serviços que oferecem passeios pelo rio Tâmisa, entre Hampton Court e Barrier Gardens. Há um passe River Rover (£11,00 por adulto), que permite entradas e saídas em qualquer cruzeiro; acesse <www.citycruises.com>.

TURISMO GLS

Com a maior população *gay* da Europa, Londres tem uma abundância de bares, restaurantes e boates para satisfazer a todos os gostos. Os principais redutos *gays* são os bairros de Soho, Earl's Court e Vauxhall. Para obter uma relação desses diversos lugares e endereços, consulte as revistas *gays* semanais e grátis *Boys*, *Pink Paper* e *QX*. Entre as revistas mensais mais vendidas estão a *Gay Times*, a *Diva* e a *Attitude*.

Para aconselhamento e suporte psicológico por telefone, contate o London Lesbian and Gay Switchboard (tel.: 020-7837 7324) e o London Friend (19h30-22h; tel.: 020-7837 3337).

VIAJANTES ESTUDANTES

Os estudantes internacionais podem obter descontos nas atrações turísticas, nos serviços de viagem (inclusive Eurostar) e em algumas lojas, mediante a apresentação de um cartão ISIC válido; acesse <www.isiccard.com> para mais detalhes.

VISTOS

Para entrar na Grã-Bretanha, é necessário o indivíduo ter um passaporte válido (ou qualquer outra forma de identificação oficial, no caso de cidadãos da UE). Não é exigido visto de entrada para cidadãos americanos, da Comunidade Britânica ou da União Européia (ou da maior parte de outros países europeus, ou de países sul-americanos). Não são requeridos certificados de saúde, a menos que você esteja chegando da Ásia, África ou América do Sul. Se você desejar ficar por um período longo ou trabalhar no país, contate a Border and Immigration Agency. Primeiramente visite o site <www.ind.homeoffice.gov.uk>. O mais próximo, Public Enquiry Office (seção de atendimento ao público), em Londres fica no endereço Lunar House, 40 Wellesley Road, Croydon, CR9 2BY; tel.: 0870-606 7766.

Acima, da esquerda para a direita: inscrição da Autoridade Portuária, perto do Mercado de Smithfield; fila de táxis na estação de Victoria.

Toaletes
Em geral, há banheiros públicos nas estações ferroviárias, nos parques e nos museus. As estações de metrô normalmente não têm toaletes. Freqüentemente, mas nem sempre, cobra-se 10p ou 20p para o uso de sanitários públicos, e os toaletes em *pubs* e bares geralmente são somente para o uso dos clientes. A maioria das grandes lojas de departamento tem toaletes grátis para os clientes.

INFORMAÇÕES 111

HOSPEDAGEM

Soho e Covent Garden

Covent Garden Hotel
10 Monmouth Street, WC2;
tel.: 020-7806 1000;
<www.firmdale.com>;
metrô: Covent Garden; £££

Hotel de elegância sutil, com 58 quartos decorados em estilo contemporâneo inglês, que oferece sala de cinema, DVDteca, academia e cabeleireiro.

Hazlitt's
6 Frith Street, W1;
tel.: 020-7434 1771;
<www.hazlittshotel.com>;
metrô: Tottenham Court Road; ££

Uma magnífica casa de 1718 que foi transformada em hotel. Os quartos são decorados em estilo antigo, com luxos modernos sutilmente disfarçados.

One Aldwych
1 Aldwych, WC2; tel.: 020-7300 1000;
<www.onealdwych.co.uk>; metrô: Temple, Covent Garden; ££££

Forçadamente estiloso, porém oferece um bom serviço e está situado numa ótima localização.

Royal Adelphi Hotel
21 Villiers Street, WC2; tel.: 020-7930 8764; <www.royaladelphi.co.uk>; metrô: Charing Cross; £

Este hotel tem um preço muito bom, considerando sua localização numa área central e movimentada. Simples, porém limpo, tem banheiros grandes.

St Martin's Lane
45 St. Martin's Lane, WC2; tel.: 020-7300 5500;
<www.stmartinslane.com; metrô>: Leicester Square; ££££

Fruto de uma parceria de Philippe Starck com Schrager, este é um dos hotéis mais estilosos da cidade. Os quartos têm janelas altas e opções de iluminação.

Sanderson Hotel
50 Berners Street, W1;
tel.: 020-7300 9500;
<www.sandersonlondon.com>;
metrô: Oxford Circus; ££££

Outra criação da dupla Starck/Schrager e o acme de sua ética modernista-teatral. O Long Bar e o restaurante Spoon valem por si, e o *spa* é suntuoso.

The Savoy
Strand, WC2; tel.: 020-7836 4343;
<www.fairmont.com/savoy>;
metrô: Charing Cross; £££

Um dos melhores hotéis de Londres. Reabre em 2009, depois de uma reforma de £100 milhões.

Soho Hotel
4 Richmond Mews, W1;
tel.: 020-7559 3000;
<www.firmdale.com>;
metrô: Tottenham Court Road; £££

Em estilo moderno e arrojado, típico de Kit Kemp, este hotel é luxuosamente urbano, com salas de estar dramáticas e um bar muito movimentado.

Mayfair e Piccadilly

Brown's Hotel
30 Albemarle Street, W1;
tel.: 020-7493 6020;
<www.brownshotel.com>; metrô: Green Park; ££££

Inaugurado em 1837 pelo mordomo de lorde Byron, James Brown, este clássico e luxuoso hotel em Mayfair hoje pertence a Rocco Forte.

Claridge's

Brook Street, W1; tel.: 020-7629 8860; <www.savoygroup.com>; metrô: Bond Street; ££££

O Claridge's, popular na Segunda Guerra Mundial, possui quartos em estilo vitoriano ou *art déco*, e o famoso *chef* Gordon Ramsay comanda o restaurante.

Cumberland Hotel

Great Cumberland Place, W1; tel.: 0870 400 8701; <www.guoman.com>; metrô: Marble Arch; ££

Decoração estilosa e minimalista tanto nas salas quanto nos quartos *hi-tech*. O restaurante é comandado pelo famoso *chef* Gary Rhodes.

The Dorchester

Park Lane, W1; tel.: 020-7629 8888; <www.dorchesterhotel.com>; metrô: Hyde Park Corner; ££££

Hotel grande e luxuoso. Decoração tradicional nos quartos, alguns com vista para o Hyde Park. O *spa* e os renomados restaurantes são bastante atrativos.

Duke's Hotel

35 St. James's Place, SW1; tel.: 020-7491 4840; <www.dukeshotel.com>; metrô: Green Park; £££

Hotel tradicional, com o átrio iluminado por lamparinas, e um ambiente intimista. Os quartos são confortáveis e decorados em estilo clássico e sóbrio.

Durrants Hotel

George Street, W1; tel.: 020-7935 8131; <www.durrantshotel.co.uk>; metrô: Marble Arch; ££

Hotel tradicional e administrado por uma família, numa casa em estilo georgiano. Quartos confortáveis, com alguns móveis antigos.

Edward Lear Hotel

30 Seymour Street, W1; tel.: 020-7402 5401; <www.edlear.com>; metrô: Marble Arch; £

Hotel simpático na antiga residência do artista e poeta vitoriano Edward Lear. Mobílias simples, com um preço bom e numa ótima localização.

Metropolitan

19 Old Park Lane, W1; tel.: 020-7447 1000; <www.metropolitan.co.uk>; metrô: Green Park; ££££

O bar é o mais notável neste moderno hotel, porém os quartos também merecem menção – graciosos, com decoração simples e leve, e bem claros.

Montcalm Hotel

34-40 Great Cumberland Place, W1; tel.: 020-7402 4288; <www.montcalm.co.uk>; metrô: Marble Arch; ££

Preço de quarto de casal por uma noite sem café-da-manhã:	
££££	acima de 300
£££	200-300
££	120-200
£	abaixo de 120

Acima, a partir da extrema esquerda: A suíte Kipling; poltrona elegante no Hotel Brown; Hotel Soho; saguão do Hotel Duke.

Cabines nos aeroportos

Se o seu vôo for muito cedo e você precisar dormir no aeroporto, uma opção é o Yotel (tel.: 020-7100 1100; <www.yotel.com>) – no Terminal 4 do Heathrow ou no Terminal Sul do Gatwick –, onde você poderá se alojar numa cabine luxuosa (como se fosse na primeira classe de um avião) para algumas horas de sono, a qualquer hora do dia ou da noite. Dependendo da demanda, uma cabine para duas pessoas custa cerca de £80,00 por noite e para uma pessoa, £55,00. Os preços são menores se você ficar por menos tempo (mínimo de 4 horas, a partir de £25,00). As cabines têm banheiro, TV e filmes e acesso grátis à internet.

Hotel mediano, tranqüilo e confortável numa elegante rua de casas georgianas. Quartos com baixo nível de alérgenos.

No. 5 Maddox Street
5 Maddox Street, W1; tel.: 020-7647 0200; <www.living-rooms.co.uk>; metrô: Bond Street; £££

Oferece suítes-apartamentos com decoração minimalista em estilo oriental e com todas as facilidades, inclusive uma cozinha com comidas naturais.

Pavilion
34-36 Sussex Gardens, W2; tel.: 020-7262 0905; <www.pavilionhoteluk.com>; metrô: Edgware Road; £

Hotel excêntrico no qual cada quarto tem um tema diferente, desde "Noites em Casablanca" ao "Entre no Dragão". Bom preço e divertido.

Piccadilly Backpackers
12 Sherwood Street, W1; tel.: 020-7434 9009; <www.piccadillybackpackers.com>; metrô: Piccadilly Circus; £

Se seu orçamento for apertado e se você estiver mais interessado em dançar, e não dormir a noite toda, então este albergue no Soho é ideal.

Preço de quarto de casal por uma noite sem café-da-manhã:

££££	acima de 300
£££	200-300
££	120-200
£	abaixo de 120

The Ritz
150 Piccadilly, W1; tel.: 020-7493 8181; <www.theritzlondon.com>; metrô: Green Park; ££££

O brilho dourado em seu interior já está desbotado há muito tempo e atualmente o estado geral do estabelecimento deixa um pouco a desejar.

Sherlock Holmes Hotel
108 Baker Street, W1; tel.: 020-7486 6161; <www.sherlockholmeshotel.com>; metrô: Baker Street; ££

Ignore as conotações do nome: o hotel é estiloso; o ambiente, intimista; os quartos, modernos; e dispõe também de academia e sauna.

Westminster e Victoria

B&B Belgravia
64-66 Ebury Street, SW1; tel.: 020-7823 4928; <www.bb-belgravia.com>; metrô: Victoria; £

Pousada chique, moderna e com bom preço, levando-se em conta seu ambiente estiloso e suas facilidades, como DVD e internet grátis.

Goring Hotel
15 Beeston Place, Grosvenor Gardens, SW1; tel.: 020-7396 9000; <www.goringhotel.co.uk>; metrô: Victoria; ££££

Hotel tradicional, próximo ao Palácio de Buckingham, e administrado por uma família. Decoração e serviço elegantes, em estilo antigo.

New England Hotel
20 St. George's Drive, SW1; tel.: 020-7834 8351; <www.newenglandhotel.com>; metrô: Victoria; £

Pousada simpática, num elegante prédio do séc. XIX em Pimlico, ornado com estuque.

Sanctuary House Hotel
33 Tothill Street, SW1; tel.: 020-7799 4044; <www.fullershotels.co.uk>; metrô: St. James's Park; ££

Hotel pequeno, recentemente reformado, situado acima de um *pub*.

Windermere Hotel
142-144 Warwick Way, SW1; tel.: 020-7834 5163; <www.windermere-hotel.co.uk>; metrô: Victoria; £

Pousada bem administrada, com quartos amplos, numa casa revestida de estuque, típica de Pimlico.

Kensington e Chelsea

Base2Stay
25 Courtfield Gardens, SW5; tel.: 0845 262 8000; <www.base2stay.com>; metrô: Earl's Court; £

Aplicando princípios e estilo intimista de luxo ao mercado menos rico, combina a liberdade de um apartamento com a comodidade de um hotel.

Beaufort Hotel
33 Beaufort Gardens, SW3; tel.: 020-7584 5252; <www.thebeaufort.co.uk>; metrô: Knightsbridge; £££

As cores suaves e neutras refletem a tranqüilidade deste hotel pequeno e estiloso. Serviço esmerado. O chá da tarde e o bar estão incluídos no preço.

Berkeley Hotel
Wilton Place, SW1; tel.: 020-7235 6000; <www.the-savoy-group.com>; metrô: Knightsbridge; ££££

Considerado o melhor hotel de Londres. Elegância sóbria, em estilo casa-de-campo; restaurantes comandados por Marcus Wareing e Gordon Ramsay.

Blakes Hotel
333 Roland Gardens, SW7; tel.: 020-7370 6701; <www.blakeshotel.com>; metrô: South Kensington; ££££

A sobriedade de seu exterior não reflete a grandiosidade dos quartos projetados em diversos estilos, desde o romântico até chegar ao exótico.

Cadogan Hotel
75 Sloane Street, SW1; tel.: 020-7235 7141; <www.cadogan.com>; metrô: Sloane Square; ££££

Hotel em estilo eduardiano com uma aragem de escândalo permeando sua formalidade tradicional. Foi o local onde Oscar Wilde foi preso.

Capital Hotel
22 Basil Street, SW3; tel.: 020-7589 5171; <www.capitalhotel.co.uk>; metrô: Knightsbridge; ££££

Este pequeno hotel de luxo no coração de Knightsbridge tem decoração sóbria, um serviço esmerado e um excelente restaurante.

The Gore
189 Queen's Gate, SW7; tel.: 020-7584 6601; <www.gorehotel.co.uk>; metrô: South Kensington; £££

Hotel excêntrico, com paredes cobertas de cima a baixo de pinturas e gravuras e quartos temáticos decorados com móveis antigos e floreados bem teatrais.

Acima, a partir da extrema esquerda: Hotel Halkin; quarto de hóspedes (*centro, à esquerda*) e decoração (*centro, à direita*), no Cadogan; Blakes.

Mimos extras
O Berkeley Hotel oferece um "chá da tarde fashionista", que inclui champanhe, bolos e tortas inspirados na moda apresentada nos desfiles da mais recente temporada, bem como um jantar, se você desejar. Outro pacote oferecido é a "Girls Night In" (£425,00 para duas pessoas), que inclui manicure, coquetéis, saco com seleção de balas, sorvete, artigos de toalete, velas aromáticas, CDs, DVDs e acesso ao *spa* e à piscina no terraço. O que mais vão inventar?

Halkin Hotel
5-6 Halkin Street, SW1;
tel.: 020-7333 1000;
<www.halkin.como.bz>;
metrô: Hyde Park Corner; ££££

Hotel de cinco estrelas calmo e aconchegante, em estilo italiano minimalista. Abriga o único restaurante tailandês que obteve estrelas do Michelin.

The Rockwell
181 Cromwell Road, SW5;
tel.: 020-7244 2000;
<www.therockwellhotel.com>; metrô: Earl's Court; ££

Decorado em estilo caseiro contemporâneo, os quartos são alegres e arejados.

Vicarage Private Hotel
10 Vicarage Gate, W8;
tel.: 020-7229 4030;
<www.londonvicaragehotel.com>;
metrô: Notting Hill Gate; £

Hotel muito simpático, com quartos simples e limpos; bom café-da-manhã, tipicamente inglês.

Bloomsbury e Holborn

Academy Hotel
21 Gower Street, WC1; tel.: 020-7631 4115; <www.theetoncollection.com>;

Preço de quarto de casal por uma noite sem café-da-manhã:

££££	acima de 300
£££	200-300
££	120-200
£	abaixo de 120

metrô: Goodge Street; ££

Um hotel pequeno, mas aconchegante e luxuoso, situado em cinco casas interligadas. Quartos confortáveis e decoração tradicional.

Charlotte Street Hotel
15-17 Charlotte Street, W1;
tel.: 020-7806 2000;
<www.firmdale.com>;
metrô: Goodge Street; £££

Este hotel consegue conciliar a qualidade dos tempos antigos com o estilo contemporâneo e combina cores suaves com toques arrojados.

Crescent Hotel
49-50 Cartwright Gardens, WC1;
tel.: 020-7387 1515;
<www.crescenthoteloflondon.com>;
metrô: Russell Square; £

Hotel simples, mas agradável, administrado por uma família, em prédio georgiano situado numa rua tranqüila de Bloomsbury.

Hotel Russell
Russell Square, WC1; tel.: 020-7837 6470; <www.principal-hotels.com>; metrô: Russell Square; ££

Este hotel vitoriano possui espaços públicos suntuosos, enquanto os quartos, cada qual num estilo diferente, são um oásis de tranqüilidade, em cores sutis.

The City e East London

ANdAZ
40 Liverpool Street, EC2;
tel.: 020-7961 1234;
<www.london.liverpoolstreet.andaz.com>; metrô: Liverpool Street; £££

Com uma infra-estrutura moderna num histórico hotel vitoriano, os quartos são em estilo simples e contemporâneo, embora um pouco empresarial.

Hoxton Hotel
81 Great Eastern Street, Old Street, EC2; tel.: 020-7550 1000;
<www.hoxtonhotels.com>;
metrô: Old Street; £
Hotel inovador, de aspecto urbano e estiloso. Os quartos foram bem projetados e de preços excelentes.

Malmaison
Charterhouse Square, Clerkenwell, EC1; tel.: 020-7012 3700;
<www.malmaison.com>; metrô: Barbican; £££
Pertence a uma rede hoteleira, mas, considerando o ambiente, o estilo e as tarifas cobradas é uma boa opção. Quartos confortáveis e *brasserie* confiável.

The Rookery
12 Peter's Lane, Cowcross Street, EC1; tel.: 020-7336 0931;
<www.rookeryhotel.com>; metrô: Farringdon; £££
Hotel muito estiloso, com paredes revestidas em madeira. Os quartos são amplos e misturam o antigo com o contemporâneo.

Threadneedles
5 Threadneedle Street, EC2;
tel.: 020-7657 8080;
<www.theetoncollection.com>;
metrô: Bank; ££
Abrigado num antigo banco, o Threadneedles mescla comodidades modernas com a suntuosidade vitoriana. Há até TV de plasma nos banheiros.

Zetter Restaurant & Rooms
86-88 Clerkenwell Road, EC1;
tel.: 020-7324 4444;
<www.thezetter.com>; metrô: Farringdon; ££
Neste original hotel de *design*, abrigado num antigo armazém, obtém-se champanhe em máquinas automáticas. Os quartos são chiques e confortáveis..

South Bank e Bankside

Mad Hatter
3-7 Stamford Street, SE1;
tel.: 020-7401 9222;
<www.fullershotels.co.uk>;
metrô: London Bridge, Southwark; ££
Quartos amplos, coloridos, em estilo contemporâneo, o hotel fica acima de um *pub*, a poucos minutos a pé da Tate Modern.

Southwark Rose
47 Southwark Bridge Road, SE1;
tel.: 020-7015 1480;
<www.southwarkrosehotel.co.uk>;
metrô: London Bridge; ££
Hotel estiloso, decoração simples com toques minimalistas. Funcionários muito simpáticos.

Preço de quarto de casal por uma noite sem café-da-manhã:

££££	acima de 300
£££	200-300
££	120-200
£	abaixo de 120

Acima, a partir da extrema esquerda: a fachada suntuosa e quarto no ANdAZ, o antigo Great Eastern Hotel; quarto de hóspedes *(centro, à esquerda)* e escadaria estilosa no Zetter Restaurant & Rooms.

Fatos e cifras
Segundo o Visit London, o conselho de turismo da capital, há mais de 100.000 quartos na cidade, provendo acomodação para mais de 27 milhões de visitantes a cada ano, o que significa que Londres é o destino mais popular do mundo.

ONDE COMER

Covent Garden e Soho

Alistair Little
49 Frith Street, W1; tel.: 020-7734 5183; 2ª-6ª, almoço e jantar; sáb. somente jantar; metrô: Leicester Square; £££-££££

O conceito pioneiro de culinária européia moderna ainda sobrevive, vinte anos depois. Delicie-se com seus produtos frescos e bem preparados.

Andrew Edmunds
46 Lexington Street, W1; tel.: 020-7437 5708; diariamente, almoço e jantar; metrô: Piccadilly Circus; £££

A falta de letreiro neste romântico restaurante lhe dá um ar anônimo e secreto. Os pratos são simples, mas variados; e serve desde carnes até belas massas.

Café Emm
17 Frith Street, W1; tel.: 020-7437 0723; diariamente, almoço e jantar; metrô: Leicester Square; £-££

Descontraído e excepcionalmente barato, o cardápio é convencional, porém bem preparado, e as porções são generosas.

French House
49 Dean Street, W1; tel.: 020-7437 2477; 2ª-6ª, almoço e jantar; metrô: Leicester Square; £££

Tradicional restaurante no Soho. O movimentado *pub* no subsolo serve cerveja apenas em copos pequenos, e o aconchegante restaurante no andar de cima serve a boa e tradicional cozinha francesa.

The Ivy
1 West Street, WC2; tel.: 020-7836 4751; diariamente, almoço e jantar; metrô: Covent Garden; £££-££££

Restaurante popular entre as celebridades, é um lugar para ver e ser visto; a comida vem em segundo plano, embora de boa qualidade (clássicos da culinária britânica, além de alguns favoritos da culinária internacional).

Mr Kong
21 Lisle Street, WC2; tel.: 020-7437 7341; diariamente, almoço e jantar; metrô: Leicester Square; £-££

Um dos mais autênticos restaurantes chineses da área. Entre os pratos oferecidos: lulas Kon Chi com molho de pimenta-malagueta ou de caranguejo. Opções vegetarianas.

Mildreds
45 Lexington Street, W1; tel.: 020-7494 1634; 2ª-sáb., almoço e jantar; metrô: Piccadilly Circus; £

Restaurante vegetariano moderno e estiloso que evita o estereótipo de ensopado de cenouras/assado de nozes. Delicie-se com a torta de cogumelos porcini na cerveja, o curry de coco malasiano, os burritos ou a ratatouille.

Preço de refeição com dois pratos e um copo de vinho por pessoa:

££££	acima de 40
£££	25-40
££	15-25
£	abaixo de 15

Rules

35 Maiden Lane, WC2; tel.: 020-7836 5314; diariamente, almoço e jantar; metrô: Covent Garden; £££

A culinária robusta passou no teste do tempo, com ingredientes britânicos da melhor qualidade: carne, carneiro e carnes de caça que vêm da fazenda pertencente ao próprio restaurante, nos Pennines. Recomenda-se fazer reserva.

J Sheekey

28-32 St. Martin's Court, WC2; tel.: 020-7240 2565; diariamente, almoço e jantar; metrô: Leicester Square; £££-££££

Restaurante do mesmo grupo a que pertence o The Ivy, o J Sheekey é ambientado numa série de salas com paredes revestidas de madeira e panôs com motivos teatrais em preto e branco. Um paraíso para os amantes de peixe.

Stockpot

18 Old Compton Street, W1; tel.: 020-7287 1066; diariamente, almoço e jantar; metrô: Leicester Square; £

O "The Pot", como também é conhecido, existe há anos; serve comida caseira e é extremamente barato. Filiais na King's Road e na Panton Street.

La Trouvaille

12a Newburgh St., W1; tel.: 020-7287 8488; 2ª-6ª, almoço e jantar; metrô: Oxford Circus; £££

Restaurante elegante e intimista, num ambiente agradável. Os garçons são discretos; a comida é bem preparada; e o cardápio tem um toque francês, embora às vezes rebuscado. Ingredientes da melhor qualidade.

Piccadilly, Mayfair e Marylebone

The Guinea Grill

30 Bruton Place, W1; tel.: 020-7499 1210; 2ª-6ª, almoço e jantar; sáb., jantar; metrô: Oxford Circus, Green Park; £££

Pub-restaurante em estilo antigo, com paredes revestidas de madeira, situado numa antiga cavalariça. Excelentes tortas de carne e rim, grelhados e ostras. Boa seleção de cervejas, vinhos e vinhos do porto.

Greens Restaurant and Oyster Bar

336 Duke Street, SW1; tel.: 020-7930 4566; diariamente, almoço e jantar; metrô: Bond Street; £££

Restaurante clássico em St. James, popular entre os mais conservadores. O cardápio, tradicional e bem preparado, inclui pasta de camarão e linguado com impecável molho hollandaise. Excelente seleção de queijos.

Scotts

20 Mount Street, W1; tel.: 020-7629 5248; diariamente, almoço e jantar; metrô: Marble Arch, Green Park; £££

O restaurante foi renovado, mas continua servindo pratos de peixe deliciosos, inclusive raridades como a *stargazy pie* (torta de sardinha, cavalinha e arenque). Sobremesas tradicionais com um toque moderno.

Orrery

55 Marylebone High Street, W1; tel.: 020-7616 8000; diariamente, almoço e jantar; metrô: Bond Street; £££

Acima, a partir da extrema esquerda: pato orgânico com lentilhas; o estiloso RIBA Café (*ver p. 47*); coquetel tentador; *fish and chips*.

Comendo fora com as crianças

Comer fora com seus filhos pequenos não precisa ser uma provação. Embora em muitos restaurantes finos o maître talvez não se mostre satisfeito ao vê-lo entrar com um bando de crianças espevitadas, pelo menos há alguns estabelecimentos onde as crianças são muito bem recebidas. Experimente o Sticky Fingers (Phillimore Gardens), ou o restaurante para crianças do Harrods, ou o da Hamley's, ou mesmo qualquer um dos cafés nos parques de Londres. Outras opções são as filiais do Giraffe (South Bank, Spitalfields Market, Brunswick Centre etc.) e do Carluccio's, que em geral são receptivos a crianças.

Pato Muscovy com pão de gengibre, torta de *foie gras* com molho de vinho banyuls – pratos de paladar intenso e típico deste elegante restaurante de Terence Conran. Boa carta de vinhos e uma ótima seleção de queijos.

Sketch
9 Conduit Street, W1;
tel.: 0870 777 4488; Lecture Room, 2ª-sáb., almoço e jantar; Gallery, 2ª-sáb., somente jantar; metrô: Bond Street, Oxford Circus; ££££

O interior é exageradamente decorado, e os preços dos pratos do grande *chef* parisiense Pierre Gagnaire são salgados. Escolha entre a culinária *gourmet* do Lecture Room e o mais informal Gallery.

Criterion Grill
224 Piccadilly, W1;
 tel.: 020-7930 0488; 2ª-6ª, almoço e jantar; metrô: Piccadilly Circus; ££-£££

Este recém-renovado restaurante de Marco Pierre White tem um cardápio simples, com clássicos da culinária francesa; tudo muito bem preparado. O preço do menu pré-teatro é razoável.

Preço de refeição com dois pratos e um copo de vinho por pessoa:

££££	acima de 40
£££	25-40
££	15-25
£	abaixo de 15

Kensington e Chelsea
Bibendum
Michelin House, 81 Fulham Road, SW3; tel.: 020-7581 5817; diariamente, almoço e jantar; metrô: South Kensington; £££

O *chef* Matthew Harris mantém um alto padrão de qualidade. Pratos como as ostras grelhadas ao molho curry são perfeitos, a carta de vinhos é boa e o serviço, excelente. No almoço, menus fixos a preços razoáveis. Faça reserva.

Cambio de Tercio
163 Old Brompton Road, SW5; tel.: 020-7244 8970; diariamente, almoço e jantar; metrô; Gloucester Road; ££-£££

Este pequeno, luminoso e alegre restaurante já recebeu muitos elogios por sua comida sensacional e serviço impecável. Alguns o consideram o melhor restaurante espanhol da cidade.

Chutney Mary
535 King's Road, SW10;
tel.: 020-7351 3113; 2ª-6ª, somente jantar; sáb. e dom., almoço e jantar; metrô: Fulham Broadway; £££

Restaurante indiano de primeira categoria, com decoração estilosa e comida excepcional. Os *chefs* vêm de diversas partes da Índia, assim você poderá escolher o prato regional de sua preferência.

Gordon Ramsay
68-69 Royal Hospital Road, SW3; tel.: 020-7352 4441/3334; 2ª-6ª, almoço e jantar; metrô: Sloane Square; ££££

Um dos três únicos restaurantes na Grã-Bretanha com três estrelas no

Guia Michelin. A comida tornam os preços bastante salgados, portanto, considere optar pelo excelente menu fixo servido na hora do almoço.

Papillon

96 Draycott Avenue, SW3; tel.: 020-7225 2555; diariamente, almoço e jantar; metrô: South Kensington; £££

Restaurante francês em que a tradicional ética francesa foi reformulada, oferecendo pratos vegetarianos com clássicos da culinária francesa, Carta de vinhos com 600 rótulos. O menu fixo oferecido no almoço tem bom preço.

La Poule au Pot

231 Ebury Street, SW1; tel.: 020-7730 7763; diariamente, almoço e jantar; metrô: Sloane Square; ££-£££

Há trinta anos esse endereço abriga este charmoso e romântico pedaço da França. Os pratos do dia são definidos conforme são feitas as entregas, e tudo é muito fresco e muito francês. Menus fixos no almoço a preços razoáveis.

Tom Aikens

43 Elystan Street, SW3; tel.: 020 7584 2003; 2ª-6ª, almoço e jantar; metrô: South Kensington; ££££

Restaurante francês moderno, com estrela Michelin. Pratos de sabor intenso, como as pernas de rã com alface escaldada e a cabeça de porco cozida com especiarias e gengibre, demonstram a arte e o talento culinários de Aikens.

Bloomsbury e Fitzrovia

Fryer's Delight

19 Theobald's Road, WC1; tel.: 020-7405 4114; 2ª-sáb., 12h-22h; metrô: Holborn; £

Um dos poucos lugares especializados em *fish and chips* (peixe empanado com batatas fritas) que ainda restam no centro de Londres.

Leith's

113 Chancery Lane, WC2; tel.: 020-7316 5580; 2ª-6ª, almoço (refeições ligeiras, das 17h às 21h); metrô: Chancery Lane; ££

Um desdobramento da Escola de Culinária do Leith, este despretensioso lugar é ideal para um almoço leve. Menu eclético. Faça reserva.

Pied à Terre

34 Charlotte Street, W1; tel.: 020-7636 1178; 2ª-6ª, almoço e jantar; sáb., somente jantar; metrô: Goodge Street; ££££

O restaurante mais prestigioso de Fitzrovia acaba de recuperar sua segunda estrela Michelin, sob o comando do *chef* australiano Shane Osborn. O menu-degustação custa £80,00, mas o menu fixo no almoço é baratíssimo.

City of London

Clark's

46 Exmouth Market, EC1; tel.: 020-7837 1974; 2ª-sáb., o dia todo; metrô: Farringdon; £

Um dos poucos lugares especializados em torta de carne com purê de batatas que ainda sobrevive entre as diversas redes de *fast food* da área. Os preços baixos e o serviço informal mantêm viva essa excelente tradição.

Acima, a partir da extrema esquerda: Sketch; convite ao bar; sorvete caseiro no Seven Stars (ver p. 54); pétalas no Cinammon Club (ver p. 27).

Gorjetas
Na Grã-Bretanha, o costume é adicionar 10% ao total da conta pelo serviço. Mas cuidado para não pagar duas vezes, já que alguns restaurantes automaticamente adicionam os 10% à conta (ou, às vezes, até mais – podendo chegar a 15%). Obviamente, se você não estiver satisfeito com o serviço, deixe uma gorjeta menor, ou nenhuma. Talvez seja bom verificar com o garçom ou a garçonete se as gorjetas de fato ficam para eles, ou se a gerência as embolsa.

Coach & Horses

26-28 Ray Street, EC1; tel.: 020-7657 8088; 2ª-6ª, almoço e jantar; sáb., somente jantar; dom., somente almoço; metrô: Farringdon; ££

Entre os muitos *pubs* gastronômicos que tentam conquistar um espaço, este é um dos melhores. A decoração é simples, a comida é inventiva, mas despretensiosa, os vinhos têm bom preço e o serviço é agradável.

The Eagle

159 Farringdon Road, EC1; tel.: 020-7837 1353; 2ª-sáb., almoço e jantar; dom., somente almoço; metrô: Farringdon; ££

Este *pub* serve uma comida razoável – com toques mediterrâneos – complementada por uma extensa variedade de cervejas européias. Enche com rapidez, então é bom chegar cedo.

Moro

34-36 Exmouth Market, EC1; tel.: 020-7833 8336; 2ª-6ª, almoço e jantar; sáb., somente jantar; metrô; Farringdon; ££

Nos excelentes pratos do variado cardápio espanhol-norte-africano do restaurante Moro incluem carneiro na brasa e porco assado a lenha. Serviço agradável.

The Quality Chop House

94 Farringdon Road, EC1; tel.: 020-7837 5093; 2ª-6ª, café-da-manhã; dom.-6ª, almoço e jantar; sáb., somente jantar; metrô: Farringdon; ££

O maior atrativo deste renovado café vitoriano é o seu ambiente nostálgico – a comida (britânica e tradicional) é mediana.

Rudland & Stubbs

35-37 Greenhill's Rents, Cowcross Street, EC1; tel.: 020-7253 0148; 2ª-6ª, almoço e jantar; metrô: Farringdon; ££

Situado numa antiga fábrica de salsichas, este atraente restaurante de peixe faz sucesso no horário do almoço. A casa orgulha-se de seus peixes frescos, que compõem pratos simples, como peixe empanado com batatas fritas.

St John

26 St. John Street, EC1; tel.: 020-7251 0848; 2ª-6ª, almoço e jantar; sáb., somente jantar; metrô: Farringdon; £££

O restaurante é sóbrio, mas elegante. No salão principal, o cardápio de carnes e miúdos muda de acordo com a estação. A marca registrada do *chef* Fergus Henderson – tutano assado com salada de salsa – está sempre no cardápio.

Smiths of Smithfield

66-67 Charterhouse Street, EC1; tel.: 020-7251 7950; diariamente, *brunch*, almoço e jantar; ££ (brunch); metrô: Farringdon; ££-£££

É animadíssimo o *brunch* aos sábados e domingos neste movimentado complexo pós-industrial. O andar de cima do restaurante é mais requintado e mais caro.

The South Bank

The Anchor and Hope

36 The Cut, SE1; tel.: 020-7928 9898; diariamente, almoço e jantar; metrô: Waterloo; ££

Inspirado no St. John (*ver acima*), todos os ingredientes utilizados são britânicos, e as carnes – que compõem grande parte do cardápio – são cortadas no local. Preços bons, porções generosas e garçons simpáticos.

Mesón Don Felipe
53 The Cut, SE1; tel.: 020-7928 3237; 2ª-sáb., almoço e jantar; dom., somente jantar; metrô: Waterloo; ££

Restaurante pequeno e movimentado, ambiente agradabilíssimo e muitas *tapas* deliciosas. A carta de vinhos é um verdadeiro compêndio sobre os vinhos espanhóis. Aceita reserva somente até as 20h.

East London
Fifteen
15 Westland Place, N1; tel.: 0871-330 1515; diariamente, *brunch*, almoço e jantar; metrô: Old Street; £££

Comandado por Jamie Oliver, todo ano o restaurante emprega jovens desprivilegiados como aprendizes e tenta transformá-los em *chefs* italianos. Os resultados são tão bons que até o The River Café se orgulharia em contratá-los.

The Real Greek & Mezedopolio
14-15 Hoxton Market, N1; tel.: 020-7739 8212; 2ª-sáb., almoço e jantar; metrô: Old Street; ££

Preço de refeição com dois pratos e um copo de vinho por pessoa:

££££	acima de 40
£££	25-40
££	15-25
£	abaixo de 15

Os pratos principais incluem massas com carneiro ou carne, e há também uma seleção interessante de queijos e doces. Não é mais o que costumava ser, mas ainda merece uma visita.

Story Deli
3 Dray Walk, The Old Truman Brewery, 91 Brick Lane, E1; tel.: 020-7247 3137; diariamente, café-da-manhã, almoço e jantar; metrô: Liverpool Street; £

Apesar de ser difícil achá-la, vale a pena tentar encontrar esta pizzaria onde só se utilizam produtos orgânicos não só por suas pizzas excepcionais, mas também pelos deliciosos kebabs, sanduíches, excelentes bolos e café.

West London
Lisboa Pâtisserie
57 Golborne Road, W10; tel.: 020-8968 5242, diariamente, 8h-19h30; metrô: Westbourne Park; £

Sente-se neste movimentado café decorado com azulejos portugueses e tome um "galão" (café com leite) acompanhado de pastel de nata.

The River Café
Thames Wharf, Rainville Road, W6; tel.: 020-7386 4200; 2ª-sáb., almoço e jantar; metrô: Hammersmith; £££-££££

O The River Café fica na zona oeste de Londres, e sua reputação internacional pela excelente comida italiana servida aqui é merecida (como também a sua reputação de ser caro). É essencial fazer reserva com certa antecedência.

Acima, a partir da extrema esquerda: restaurante The Honest Sausage, em Regent's Park (*ver p. 47*); pernas de pato selvagem, no St. John; especiais do dia, listados na lousa; um dos muitos restaurantes da moda na capital.

Sobremesas escolares
Muitos britânicos têm um certo saudosismo com relação às tradicionais sobremesas dos tempos de escola, entre elas: pudim de frutas secas, pudim de melaço, rocambole de geléia, pudim de pão, pudim de caramelo, torta de maçã, crumble de ruibarbo e arroz doce. Muitas das acima citadas ficam ainda melhores com uma boa quantidade de crème anglaise. O autor de livros infantis Enid Nesbit resumiu assim a satisfação especial dada por uma dessas sobremesas: "O rocambole de geléia traz uma paz imensa, e, depois do último pedaço, vem a sensação de que não nos incomodaríamos se nunca mais pudéssemos brincar de esconde-esconde ou de pique."

CRÉDITOS

© 2008 Apa Publications GmbH & Co. Verlag KG (Cingapura)

Todos os direitos reservados.

Londres a pé
Título original: *Step by Step London*
Autor: Michael Macaroon
Editora-chefe da série: Clare Peel
Cartografia: James Macdonald
Gerentes de fotografia: Hilary Genin/ Steven Lawrence
Editor de arte: Ian Spick
Produção: Kenneth Chan
Diretor editorial: Brian Bell
Fotografias de: Apa: Natasha Babaian, David Beatty, Jay Fechtman, Glyn Genin, Tony Halliday, Britta Jaschinski, Sian Lezard, Michael Macaroon, Clare Peel, Dorothy Stannard, Sarah Sweeney, exceto: AKG 44TR; Alamy 8/9, 12TR, 13TL, 13BR, 22/3, 49T, 72T, 73T, 82TL, 84T, 86T, 87T, 90TL, 91TL, 94T, 100/1; ANdaZ/Hyatt 116TL, 116TR; William Beckett 28C; Bridgeman Art Library 31T, 32TL, 32BL, 76TR, 77TR, 207TR; Brown's Hotel 112TL, 112TR; Cadogan Hotel 114TR, 115TL; Julian Calder 53TR; Corbis 34T, 35T, 44TL, 47TL, 48T, 71TL, 74TL, 81T, 92TL,; Duke's Hotel 113TR; Geffrye Museum 92B; Getty 11CBR; Halkin Hotel 114TL; Cortesia Harrods 19BR, 80BL; Indexstock/Photolibrary 67TR; Lebrecht Music 63BR; Pavel Libera 10TL; Alisdair Macdonald 20/1T, 47TL, 103, 104, 105, 108, 109, 111; James Macdonald 37BR; Cortesia Madame Tussauds 45B; National Portrait Gallery/ ©Michael Seymour 33TR; National Portrait Gallery 33TL; ©RBG Kew 6BR, 98TL, 98TR, 99TL, 99TR, 99B; Science & Society Picture Library 79BR; Soho Hotel 113TL; SuperStock 55T; ©Tate 70TL; ©Tate. Foto: Andy Paradise 68TL; ©Tate London 2004 71TR; ©Tate 2007 70CL; Cortesia de Visit London 10TR, 11TR, 12TL, 24TL, 24TR, 26TL, 30T, 32TR, 35CR, 39TR, 39BR, 40TL, 41TL, 55BR, 64BL, 69TL, 77TL, 80T, 80CL, 82TR, 89TR, 93TR; Adam Woolfitt/Robert Harding 10BL, 14TL; V&A 77BR; Zetter 117TL, 11TR..
Capa: Alamy; SuperStock; Istockphoto

Mapas reproduzidos com permissão da Geographers' A–Z Map Co. Ltd. Licença No. B4290.
Crown Copyright 2008. Todos os direitos reservados. Licença No. 10007302

© 2009, Martins Editora Livraria Ltda., São Paulo, para a presente edição.

1ªedição: 2009 | **1ª reimpressão**: 2013

Publisher: Evandro Mendonça Martins Fontes
Coordenação editorial: Vanessa Faleck
Produção editorial: Luciane Helena Gomide
Produção gráfica: Sidnei Simonelli
Diagramação: Triall Composição Editorial Ltda.
Preparação e revisão: Denise R. Camargo
Revisão: Carolina Hidalgo Castelani
   Dinarte Zorzanelli da Silva

Todos os direitos desta edição no Brasil reservados à
Martins Editora Livraria Ltda.
Av. Doutor Arnaldo, 2076
01255-000 São Paulo SP Brasil
Tel.: (11) 3116.0000
info@emartinsfontes.com.br
www.martinsfontes-selomartins.com.br

Dados Internacionais de Catalogação na Publicação (CIP)
(Câmara Brasileira do Livro, SP, Brasil)

Macaroon, Michael
   Londres a pé / Michael Macaroon ; tradução Vitoria Davies. – São Paulo : Martins Editora, 2009. – (Guias de viagem Insight Guides)

   Título original: Step by Step London.
   ISBN 978-85-61635-29-9

   1. Londres (Inglaterra) – Descrição e viagens – Guias I. Título. II. Série.

09-01863   CDD-914.212

Índices para catálogo sistemático:

1. Guias de viagem : Londres : Inglaterra 914.212
2. Londres : Inglaterra : Guias de viagem 914.212

Nenhuma parte deste livro pode ser reproduzida, armazenada em sistema de recuperação ou transmitida sob nenhuma forma nem por nenhum meio (eletrônico, mecânico, por fotocópia, gravação ou qualquer outro) sem prévia autorização escrita de Apa Publications. Citações curtas do texto, com o uso de fotografias, estão isentas apenas no caso de resenhas do livro. As informações foram obtidas de fontes creditadas como confiáveis, mas sua exatidão e completude, e as opiniões nelas baseadas, não são garantidas.

ÍNDICE REMISSIVO

A

Abadia de Westminster **12, 20, 25-6, 32, 34, 70**
acesso para deficientes físicos **102**
achados e perdidos **102**
Adam, Robert **72**
Admiralty Arch **29**
aeroportos e chegada **102-3**
agências de turismo **103**
Albany, The **41**
Albert Memorial **75**
All Hallow's Church **84**
aluguel de carro **103**
antigüidades **10, 83, 88-9**
antiquários **19, 36, 43, 89**
Apsley House **72**
Arcola Theatre **93**
árvore de Natal **24**

B

bancos **90, 105-6**
Bank of England **54, 56**
Banqueting House **26**
Barbican **59**
Barfield, Julia **61, 70**
Barry, *sir* Charles **25, 27**
Bart's Hospital **59**
BBC **41**
Biblioteca Senate House **17, 56**
Big Ben **27**
Billingsgate Market **17, 56**
Blair, Tony **21, 53**
Blake, William **41**
Bloomsbury **48, 51**
Boadicea **20**
boliche **51, 61**
Bolsa de Valores **57**
Bond Street **43**
Borough Market **17, 66-7**
Bow Street Runners **35**
brass rubbing **26**
Brick Lane **91-2**
British Film Institute **62-3**

British Museum **48-50**
Brompton Oratory **80**
Brook Street **43**
Brown, Gordon **21**
Brunswick Centre **51**
Buckingham Palace **29, 30**
Burgh House **87**
Burlington Arcade **42**
Burton, Decimus **46, 73, 98, 99**

C

Cabinet War Rooms **29**
Canary Wharf **93**
Carlton House Terrace **29**
Carlyle, Thomas **50, 83**
Carlyle's House **83**
Carnaval **88-9**
Cartoon Museum
Casa de dr. John, A **53**
Casas do Parlamento **12, 21, 24, 26-7**
Catedral de São Paulo **7, 11-2, 20, 55-8, 61, 64, 69, 84-5**
Catedral de Southwark **66-7**
Cavalaria Real **26, 73**
Central St. Martin's School of Art **50**
centros de informação turística **104**
cerveja **16, 53-4, 56, 66, 87, 96**
Chancery Lane **54**
Charing Cross Road **37**
Charles, príncipe **30, 31**
Charlie Wright's International Bar **93**
Chaucer, Geoffrey **28**
Chelsea **81-3**
Chelsea Flower Show **82**
Chelsea Old Church **83**
Chelsea Physic Garden **83**
Chester Gate **46**
Cheyne Walk **83**
Chinatown **39**
Christchurch Spitalfields **91**

Churchill, *sir* Winston **28, 31, 67**
cidra **17**
cinema **29, 34, 39, 51, 59, 61-3, 79, 89, 92, 113**
City **55-9**
Clarence House **29**
Claridge's **43, 113**
clima **104**
Clink Street Museum **65**
Clockmaker's Museum **57**
código postal **104-5**
College of Arms **57**
Columbia Road (mercado de flores) **92, 93**
compras **7, 18, 41**
concertos de música clássica **25, 62**
Coram's Fields **50**
Cork Street **42**
correios **105**
County Hall **60-1**
Courtauld Gallery **54**
Covent Garden **34-7**
Coward, Noel **37, 43, 80**
crianças **105**
criminalidade **105**
Crystal Palace **73, 76**
Cúpula do Milênio **21, 95**
Custom House **56**
Cutty Sark **94, 95**

D

Dalí Universe **61**
Denmark Street **37**
Dennis Severs' House **91**
Desencanto **47**
Diana, Princess of Wales Memorial Playground **75**
Dickens, Charles **37, 50, 52, 54, 67, 88, 95**
Dickens Museum **50**
dinheiro **105**
Diorama **46**
Docklands **93**

Docklands Light Railway **109**
Docklands Museum **93**
Donmar Warehouse **35**
Downing Street **26**
Drácula **40**
Drake, *sir* Francis **66**
Duke of York Square **82**

E

East End **91**
East London Mosque **91**
Eletricidade **106**
embaixadas **106**
emergências **106**
English National Opera **37**
equitação **75**
Eros **41**
esporte **11**
estrelas do Michelin **116**
etnicidade **10**
Eurostar **111**

F

Fan Museum **96**
Fenton House **86-7**
festivais no gelo **12, 62**
Fleet Street **52-3, 85**
Fondling Museum **50-1**
Fortnum and Mason **42**
Foster, Norman **49, 58, 64, 84**
Freud, Sigmund **86**
Freud Museum **86**
Frith Street **38**
fumo **107**
fuso horário **107**

G

Gabriel's Wharf **64**
galeria de arte **35, 49, 59, 61, 68, 93**
gastronomia **14**
Geffrye Museum **93**
geografia **12**
Gerrard Street **39**
Gherkin, The **58, 84**
Gibbons, Grinling **25, 41**

Gilbert Collection **54**
Gipsy Moth IV **95**
Gladstone, W. E. **26, 41, 95**
Globe Theatre **20, 21, 64-5**
Golden Hinde, The **65-6**
Goldfinger, Erno **87, 89**
gorjetas **121**
Grande Exposição, A **21, 59, 76-7, 79-80**
Great Exhibition **21, 73, 74, 76**
Greek Street **38**
Greenwich **94-7**
Guards Museum **29**
guerra civil **20, 96**
Guildhall **57**
Guy Fawkes **20, 27, 55**
Gywnn, Nell **26, 35**

H

Hamley's **41**
Hampstead **86-7**
Hampton Court **99**
Handel, George Frederick **36, 43, 51**
Handel House Museum **43**
Harley Street **44**
Harrods **80**
Harvard, John **66**
Harvey Nichols **80**
Hawksmoor, Nicholas **28, 50, 56, 75**
Hay's Galleria **67**
Hayward Gallery **62**
Hazlitt, William **38**
Hendrix, Jimi **37, 39, 43**
História **10**
HMS *Belfast* **67**
Hogarth, William **26, 51, 54, 59**
Holborn **52-4**
hospedagem **4, 112-7**
hotéis **11, 40, 61, 101, 104, 106-7, 112**
Hoxton **92-3**
huguenotes **11, 39, 91-3**
Hunterian Museum **54**
Hyde Park **72-5**

I

ICA (Institute of Contemporary Arts) **29**
Incêndio, o Grande **53-4**
Inns of Court **53-4**
internet **107**

J

Jack, o Estripador **21, 67, 90-1**
jazz **39, 62, 93**
Jermyn Street **41**
Johnson, Samuel **13, 53, 67, 83**
Jones, Inigo **26, 29, 35-7, 96**
jornais

K

Keats, John **87**
Keats House **87**
Kensington Gardens **72, 74-5**
Kensington Palace **75**
Kenwood House **87**
Kew Bridge Steam Museum **98**
Kew Gardens **12, 98-9**
Kew Palace **99**
Knightsbridge **80**

L

Lamb's Conduit Street
Landseer, Edwin **25, 57**
Lasdun, Denys **46**
Leicester Square **39**
leis alfandegárias **107**
Liberty & Co **41**
Lincoln's Inn Fields **54**
Livingstone, Ken **21**
London Aquarium **61**
London Bridge **12, 56**
London Dungeon **67**
London Eye **61**
London Imax **63**
London Transport Museum **36-7**
Lutyens, Edwin **25, 26**

M

Mall, The **28-9**
Mansion House **56**
mapas **108**
Marks, David **61, 70**
Marlborough House **29**
mármores de Elgin **49**
Marylebone **44-5**
Mayfair **42-3**
mercados **19**
metrô **110**
mídia **108**
Millennium Bridge **64**
Millennium Dome **95**
Ministério das Relações Exteriores **24**
moeda **105-6**
Monument, The **56, 85**
Mozart, Wolfgang Amadeus **38**
Mudchute City Farm **93**
Museu Britânico **48-9**
Museu de Ciências **79**
Museu de História Natural **78-9**
Museu de Leques **96**
Museu de Londres **58-9**
Museu do Relógio **57**
Museu Freud **86**
Museu Marítimo **95**
Museum of London **58-9**

N

Nações Unidas **27**
Namco Station
Napoleão **18, 25, 72**
Nash, John **28, 29, 30, 41, 46**
National Army Museum **82**
National Gallery **25, 31-3**
National Maritime Museum **95**
National Portrait Gallery **33**
National Theatre **63**
Natural History Museum **78-9**
NatWest Tower **56, 58, 85**
Neal Street **35**
Nelson, Admiral Lord **25, 58, 95-6**
Notting Hill **88-9**

O

Old Bailey **85**
Old Compton Street **39**
Old Curiosity Shop **54**
Old Royal Observatory **97**
Old Truman Brewery **92**
Olimpíadas **11, 21**
ônibus **109-10**
ônibus de dois andares **84-5**
Orwell, George **51, 72, 86, 89**
Oxford Street **43**
OXO Tower **63**
Oystercards **109-10**

P

Palácio de Buckingham **30**
Palácio de Cristal **21, 76**
Palácio de Kensington **7, 72-3**
Palácio de Kew **99**
Palácio de Whitehall **26, 29, 72**
Palácio de Winchester **64**
Pall Mall **29**
Pankhurst, Emmeline **32**
Paolozzi, Edouardo **48**
Parliament, Houses of **26-7**
parques e jardins **10**
patinação no gelo **12, 74**
Pepys, Samuel **36, 67, 72**
Percival David Foundation of Chinese Art **51**
pesos e medidas **108**
Peter Pan **75**
Petrie Museum of Egyptian Archaeology **51**
Petticoat Lane **91**
Photographer's Gallery **37**
Piccadilly **10, 2**
placas comemorativas **107**
Planetarium **97**
Poets' Corner **28**
política **24, 33, 80**
Ponte do Milênio **61, 64, 69, 85**
população **10, 12**
Port of London Authority **84**
Portobello Road **88-9**

Postman's Park **58**
prefeito **12, 20-1, 24, 56-7**
Prêmio Turner **70**
Princess Diana Memorial Fountain **74**
Pudding Lane **56, 85**
Pugin, A. W. **27**
Purcell Room **62**

Q

Queen Elizabeth Hall **62**
Queen's Chapel **29**
Queen's Gallery **30**
Queen's House (Greenwich) **97**

R

Raleigh, *sir* Walter **28, 55**
Ramsay, Gordon **14, 43, 113, 120-1**
Ranger's House **97**
Regent Street **41**
Regent's Park **46-7**
Rennie, John **56, 74**
restaurantes **4, 7, 10, 14-5, 17, 32, 38, 42, 50**
restaurantes étnicos **15**
restaurantes, redes de **16**
restaurantes e pubs **91**
Reynolds, Joshua **26, 42, 51**
Rich Mix (cinema, galeria) **92**
Rivington Place (galeria)
Ronnie Scott's **39**
Rose Exhibition (teatro) **65**
Routemaster **84-5**
Royal Academy of Arts **42**
Royal Academy of Music **45**
Royal Albert Hall **75**
Royal Botanic Gardens **98-9**
Royal College of Physicians **46**
Royal Court Theatre **81**
Royal Courts of Justice **54**
Royal Exchange **56**
Royal Festival Hall **62**
Royal Hospital Chelsea **82**
Royal Mews **30**
Royal Naval College **95**
Royal Opera House **35-6**

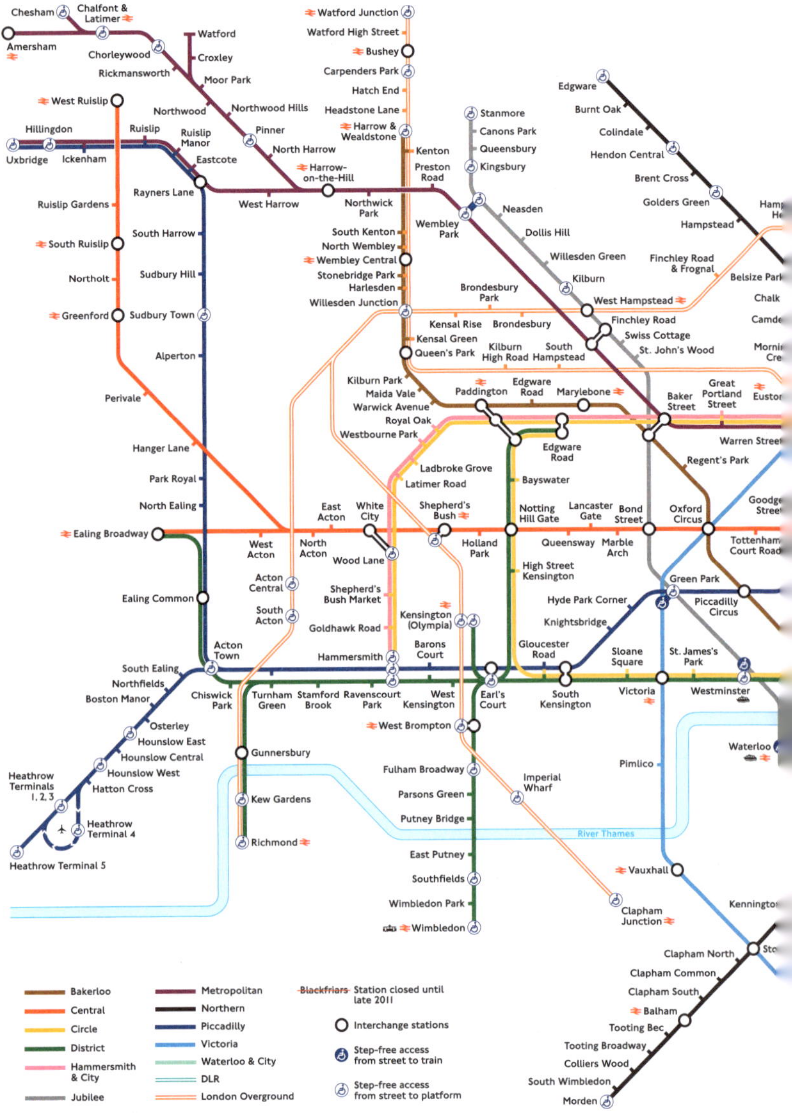

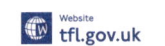

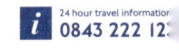